Disk Copy

1915 - '16

ALPHONSE DAUDET

LE PETIT CHOSE

PAR

ALPHONSE DAUDET

*ABRIDGED AND EDITED WITH INTRODUCTION
NOTES AND VOCABULARY*

BY

O. B. SUPER

WHEN PROFESSOR OF ROMANCE LANGUAGES IN DICKINSON COLLEGE

———◆———

D. C. HEATH & CO., PUBLISHERS
BOSTON   NEW YORK   CHICAGO

INTRODUCTION

ALPHONSE DAUDET is one of the most popular
French novelists of the present generation, and this
popularity is well deserved. His writings are charac-
terized by charming descriptions of natural scenery
as well as of manners and customs and especially by
a depth of feeling which sometimes stirs the tenderest
emotions of the reader, sometimes delights him by its
delicate humor. Daudet rises above the writers of
the purely realistic school by *" les délicatesses, les ré-
pugnances pour tout ce qui est trivial et grossier."*

Daudet was born May 13, 1840, in Nîmes, in southern France, where his father owned a silk factory.
His earliest years were passed together with his
brother Ernest, who was nearly three years his senior,
in a comfortable and pleasant home, for his father was
at this time in good circumstances.

These pleasant associations were broken up by the
Revolution of 1848 and the resulting destruction of
his father's business. The father, who was naturally
somewhat self-willed, in consequence of his misfor-
tunes, became embittered and irritable. In 1849 he was
compelled to sell his factory and removed to Lyons.
This was a severe blow to the whole family, who were

devotedly attached to their southern home. This change of location, however, did not improve their worldly condition and when the oldest son, Henry, suddenly died, all joy was banished from the household.

Young Alphonse first attended the " Manécanterie " and later the " Lycée," where he distinguished himself as a scholar, notwithstanding the fact that he was somewhat given to playing truant.

In 1856 Daudet completed the course in the " Lycée," but owing to his poverty he could not take his degree, and therefore, on the advice of his father, in spite of his youth and his diminutive figure, he accepted the position of *maître d'études* (called *pion* in the story) in the college at Alais. Here he was cruelly tormented by his pupils, and the year he spent in Alais Daudet always regarded as the most unhappy of his life. At this time his brother Ernest, who had in the meantime obtained the post of private secretary in Paris, invited him to share his humble lodging in the " Quartier Latin." He arrived in Paris in November, 1857, half dead from cold and hunger. In the following year he published a volume of poems entitled *Les Amoureuses* which attracted the attention of the Empress Eugénie and gained for its author the position of private secretary to the Duke of Morny, President of the " Corps législatif." After the death of the Duke in 1865 Daudet devoted himself entirely to literature. One of the first fruits of this period was *Le Petit Chose* (1868), in which he gives a history of his youth and of the efforts of his brother and himself *à reconstruire le foyer*. It is interesting to note that they really did succeed in procuring for their parents a comfortable old age. Also that Daudet was inspired to write this book by reading Dickens's *David Copperfield*.

His principal works are as follows:

I. Stories and Tales: *Lettres de mon moulin*, 1869; *Lettres à un absent*, 1872; *Contes du lundi*, 1873; *Robert Helmont*, 1874; *La Belle-Nivernaise*, 1886.

II. Novels: *Fromont jeune et Risler aîné*, 1874; *Jack, histoire d'un ouvrier*, 1876; *Le Nabab*, 1877, regarded by many as his masterpiece; *Les Rois en exil*, 1879; *L'Évangeliste*, 1883; *Sapho*, 1884; *L'Immortel*, 1888; *Rose et Ninette*, 1892. Also three humorous and satirical stories: *Tartarin de Tarascon*, 1872; *Tartarin sur les Alpes*, 1886; *Port-Tarascon*, 1890. Finally his *Trente ans de Paris*, 1888, and *Souvenirs d'un homme de lettres*, 1889, throw much light upon his life and work. He also wrote several dramas, but these are of no great importance.

Daudet died in Paris, December 16, 1897.

Among the numerous works of Alphonse Daudet there is none that is better adapted to class use, especially for elementary classes, than *Le Petit Chose*. Written as it was especially for the young, the language as well as the ideas are easily comprehensible even by the youngest students. Additional interest and importance are given to the book by the fact that the author has here given us an account of his youth as well as an insight into his character. The first part of the book is almost literally true in all its details, as will be seen by comparing it with the biographical introduction. The second part, on the contrary, is largely imaginary.

Since the original work is very long, some of the less important and less interesting parts have been omitted in this edition without, however, impairing the continuity of the narrative. What is here given is entirely in Daudet's own language, excepting a few lines in the second part, where it seemed to be necessary to paraphrase the original.

My thanks are due to Professor Fabregou, of the College of the City of New York, for assistance in revising the proofs.

O. B. S.

July, 1901.

LE PETIT CHOSE[1]

HISTOIRE D'UN ENFANT

PREMIÈRE PARTIE

I

JE suis né le 13 mai 18..., dans une ville du Languedoc,[2] où l'on trouve, comme dans toutes les villes du Midi, beaucoup de soleil, pas mal[3] de poussière, un couvent de Carmélites[4] et deux ou trois monuments romains.[5]

Mon père, M. Eyssette, qui faisait à cette époque le commerce des foulards, avait, aux portes de la ville, une grande fabrique dans un pan de laquelle il s'était taillé une habitation commode, tout ombragée de platanes et séparée des ateliers par un vaste jardin.[6] C'est là que je suis venu au monde et que j'ai passé les premières, les seules bonnes années de ma vie.

Je dois dire, pour commencer, que ma naissance ne porta pas bonheur à la maison Eyssette. La vieille Annou, notre cuisinière, m'a souvent conté depuis comment mon père, en voyage à ce moment, reçut en même temps la nouvelle de mon apparition dans le monde et

celle de la disparition d'un de ses clients de Marseille,[1]
qui lui emportait plus de quarante mille francs.

C'est une vérité, je fus la mauvaise étoile de mes
parents. Du jour de ma naissance, d'incroyables malheurs les assaillirent par vingt endroits. D'abord nous
eûmes donc le client de Marseille, puis deux fois le feu
dans la même année, puis la grève des ourdisseuses,[2]
puis notre brouille avec l'oncle Baptiste, puis un procès très coûteux avec nos marchands de couleurs, puis,
enfin, la Révolution de 18..,[3] qui nous donna le coup
de grâce.

A partir de ce moment, la fabrique ne battit plus
que d'une aile;[4] petit à petit, les ateliers se vidèrent:
chaque semaine un métier à bas,[5] chaque mois une
table d'impression de moins.[6] C'était pitié de voir la
vie s'en aller de notre maison comme d'un corps malade, lentement, tous les jours un peu. Cela dura
ainsi pendant deux ans; pendant deux ans, la fabrique
agonisa. Enfin, un jour, les ouvriers ne vinrent plus,
et bientôt, dans toute la fabrique, il ne resta plus que
M. et Mme Eyssette, la vieille Annou, mon frère Jacques et moi; puis, là-bas, dans le fond, pour garder
les ateliers, le concierge Colombe et son fils le petit
Rouget.[7]

C'était fini, nous étions ruinés.

J'avais alors six ou sept ans. Comme j'étais très
frêle et maladif, mes parents n'avaient pas voulu m'envoyer à l'école. Ma mère m'avait seulement appris à
lire et à écrire. Je pouvais gambader à ma guise par
toute la fabrique, ce qui, du temps des ouvriers, ne
m'était permis que le dimanche. Je disais gravement
au petit Rouget : « Maintenant, la fabrique est à moi;

on me l'a donnée pour jouer.» Et le petit Rouget me
croyait. Il croyait tout ce que je lui disais, cet imbécile.

A la maison, par exemple, tout le monde ne prit pas
notre débâcle aussi gaiement. Tout à coup M. Eys- 5
sette devint terrible. La mauvaise fortune, au lieu
de l'abattre, l'exaspéra. Du soir au matin, ce fut une
colère formidable qui, ne sachant à qui s'en prendre,[1]
s'attaquait à tout, au soleil, au mistral, à Jacques, à la
vieille Annou, à la Révolution, oh! surtout à la Révo- 10
lution!... A entendre mon père, vous auriez juré
que cette Révolution de 18..., qui nous avait mis à
mal, était spécialement dirigée contre nous.

A l'époque dont je vous parle, la douleur de se voir
ruiné avait fait de mon père un homme terrible que 15
personne ne pouvait approcher. Il fallut le saigner
deux fois en quinze jours. Autour de lui, chacun se
taisait; on avait peur. A table, nous demandions du
pain à voix basse. On n'osait pas même pleurer devant
lui. Aussi, dès qu'il avait tourné les talons, ce n'était 20
qu'un sanglot, d'un bout de la maison à l'autre; ma
mère, la vieille Annou, mon frère Jacques et aussi mon
grand frère l'abbé, lorsqu'il venait nous voir. Ma
mère pleurait de voir M. Eyssette malheureux; l'abbé
et la vieille Annou pleuraient de voir pleurer Mme 25
Eyssette; quant à Jacques, trop jeune encore pour
comprendre nos malheurs, — il avait à peine deux ans
de plus que moi, — il pleurait par besoin, pour le
plaisir. Le soir, le matin, de jour, de nuit, en classe,
à la maison, en promenade, il pleurait sans cesse, il 30
pleurait partout. Quand on lui disait: « Qu'as-tu? »
il répondait en sanglotant: « Je n'ai rien.» Et, le plus

curieux, c'est qu'il n'avait rien. Quelquefois M. Eyssette, exaspéré, disait à ma mère : « Cet enfant est ridicule, regardez-le ! . . . c'est un fleuve. » A quoi Mme
Eyssette répondait de sa voix douce : « Que veux-tu,
5 mon ami ? cela passera en grandissant ; à son âge,
j'étais comme lui. »

Pour ma part, j'étais très heureux. On ne s'occupait plus de moi. J'en profitais pour jouer tout le
jour avec Rouget parmi les ateliers déserts, où nos
10 pas sonnaient comme dans une église, et les grandes
cours abandonnées, que l'herbe envahissait déjà. Ce
jeune Rouget, fils du concierge Colombe, était un gros
garçon d'une douzaine d'années, fort comme un bœuf,
dévoué comme un chien, bête comme une oie et re-
15 marquable surtout par une chevelure rouge, à laquelle
il devait son surnom de Rouget. Seulement, je vais
vous dire : « Rouget, pour moi, n'était pas Rouget. Il
était tour à tour mon fidèle Vendredi, une tribu de
sauvages, un équipage révolté, tout ce qu'on voulait.
20 Moi-même, en ce temps-là, je ne m'appelais pas Daniel
Eyssette : j'étais cet homme singulier, vêtu de peaux
de bêtes, dont on venait de me donner les aventures,[1]
master Crusoé lui-même. Douce folie ! Le soir, après
souper, je relisais mon *Robinson,* je l'apprenais par
25 cœur ; le jour, je le jouais, je le jouais avec rage, et
tout ce qui m'entourait, je l'enrôlais dans ma comédie.

Rouget ne se doutait guère de[2] l'importance de son
rôle. Si on lui avait demandé ce que c'était que Robinson, on l'aurait bien embarrassé ; pourtant je dois dire
30 qu'il tenait son emploi avec la plus grande conviction,
et que, pour imiter le rugissement des sauvages, il n'y
en avait pas comme lui.

Mais un matin, son père, fatigué de ses rugissements à domicile, l'envoya rugir en apprentissage, et je ne le revis plus.

Mon enthousiasme pour Robinson n'en fut pas un instant refroidi. Tout juste vers ce temps-là, l'oncle Baptiste se dégoûta subitement de son perroquet et me le donna. Ce perroquet remplaça Vendredi. Je l'installai dans une belle cage au fond de ma résidence d'hiver; et me voilà, plus Crusoé que jamais, passant mes journées en tête-à-tête avec cet intéressant volatile et cherchant à lui faire dire : « Robinson, mon pauvre Robinson ! » Comprenez-vous cela? Ce perroquet, que l'oncle Baptiste m'avait donné pour se débarrasser de son éternel bavardage, s'obstina à ne pas parler dès qu'il fut à moi ... Malgré cela, je l'aimais beaucoup et j'en avais le plus grand soin.

Nous vivions ainsi, mon perroquet et moi, dans la plus austère solitude, lorsqu'un matin il m'arriva une chose vraiment extraordinaire. Ce jour-là, j'avais quitté ma cabane de bonne heure et je faisais, armé jusqu'aux dents, un voyage d'exploration à travers mon île ... Tout à coup je vis venir de mon côté un groupe de trois ou quatre personnes, qui parlaient à voix très haute et gesticulaient vivement. Je n'eus que le temps de me jeter derrière un bouquet de lauriers-roses ...[1] Les hommes passèrent près de moi sans me voir ...

Ces étrangers restèrent longtemps dans mon île ... Ils la visitèrent d'un bout à l'autre dans tous ses détails. Je les vis entrer dans mes grottes et sonder avec leurs cannes la profondeur de mes océans. De temps en temps ils s'arrêtaient et remuaient la tête. Toute

ma crainte était qu'ils ne vinssent à découvrir mes
résidences... Heureusement, il n'en fut rien, et au
bout d'une demi-heure, les hommes se retirèrent sans
se douter[1] seulement que l'île était habitée. Dès qu'ils
5 furent partis, je courus m'enfermer dans une de mes
cabanes, et passai là le reste du jour à me demander
quels étaient ces hommes et ce qu'ils étaient venus
faire.

J'allais le savoir bientôt.

10 Le soir, à souper, M. Eyssette nous annonça solennellement que la fabrique était vendue, et que, dans
un mois, nous partirions tous pour Lyon,[2] où nous allions demeurer désormais.

Ce fut un coup terrible. Il me sembla que le ciel
15 croulait. La fabrique vendue!... Eh bien! et mon
île, mes grottes, mes cabanes?

Hélas! l'île, les grottes, les cabanes, M. Eyssette
avait tout vendu; il fallait tout quitter. Dieu! que je
pleurai!...

20 Pourtant, au milieu de cette grande douleur, deux
choses me faisaient sourire: d'abord la pensée de monter sur un navire, puis la permission qu'on m'avait
donnée d'emporter mon perroquet avec moi. Je me
disais que Robinson avait quitté son île dans des con-
25 ditions à peu près semblables, et cela me donnait du
courage.

Enfin, le jour du départ arriva. M. Eyssette était
déjà à Lyon depuis une semaine. Il avait pris les
devants[3] avec les gros meubles. Je partis donc en
30 compagnie de Jacques, de ma mère et de la vieille
Annou.

II

O CHOSES de mon enfance, quelle impression vous m'avez laissée! Il me semble que c'est hier, ce voyage sur le Rhône. Je vois encore le bateau, ses passagers, son équipage; j'entends le bruit des roues et le sifflet de la machine. On n'oublie pas ces choses-là. 5

La traversée dura trois jours. Je passai ces trois jours sur le pont, descendant au salon juste pour manger et dormir. Le reste du temps, j'allais me mettre à la pointe extrême du navire, près de l'ancre. Il y avait là une grosse cloche qu'on sonnait en entrant dans les 10 villes: je m'asseyais à côté de cette cloche, parmi des tas de corde; je posais la cage du perroquet entre mes jambes et je regardais. Le Rhône était si large qu'on voyait à peine ses rives. Moi, je l'aurais voulu encore plus large, et qu'il se fût appelé: la mer! Le ciel riait, 15 l'onde était verte. De grandes barques descendaient au fil de l'eau.[1] Des mariniers, guéant le fleuve à dos de mules, passaient près de nous en chantant. Parfois le bateau longeait quelque île bien touffue, couverte de joncs et de saules. « Oh! une île déserte! » 20 me disais-je dans moi-même; et je la dévorais des yeux... Enfin quelqu'un dit près de moi: « Voilà Lyon! » En même temps la grosse cloche se mit à sonner. C'était Lyon.

Confusément, dans le brouillard, je vis des lumières 25 briller sur l'une et sur l'autre rive; nous passâmes sous un pont, puis sous une autre. A chaque fois l'énorme tuyau de la machine se courbait en deux et crachait des

torrents d'une fumée noire qui faisait tousser... Sur
le bateau, c'était un remue-ménage effroyable. Les
passagers cherchaient leurs malles; les matelots ju-
raient en roulant des tonneaux dans l'ombre. Il pleu-
5 vait...

En vérité, si M. Eyssette n'était pas venu nous tirer
de là, je crois que nous n'en serions jamais sortis. Il
arriva vers nous, à tâtons, en criant: « Qui vive!¹ qui
vive!» A ce « qui vive!» bien connu, nous répon-
10 dîmes: « amis!» tous les quatre à la fois avec un
bonheur, un soulagement inexprimable... M. Eyssette
nous embrassa lestement, prit mon frère d'une main,
moi de l'autre, dit aux femmes: « Suivez-moi!» et
en route²... Ah! c'était un homme.

15 Nous avancions avec peine; il faisait nuit, le pont
glissait.³ A chaque pas, on se heurtait contre des
caisses... Tout à coup, du bout du navire, une voix
stridente, éplorée, arrive jusqu'à nous: « Robinson!
Robinson!» disait la voix.

20 — Ah! mon Dieu! m'écriai-je; et j'essayai de dégager ma main de celle de mon père; lui,⁴ croyant que
j'avais glissé, me serra plus fort.

La voix reprit, plus stridente encore, et plus éplorée: « Robinson! mon pauvre Robinson!» Je fis un
25 nouvel effort pour dégager ma main. « Mon perroquet, criai-je, mon perroquet!»

— Il parle donc, maintenant? dit Jacques.

S'il parlait, je crois bien; on l'entendait d'une
lieue... Dans mon trouble, je l'avais oublié, là-bas,
30 tout au bout du navire, près de l'ancre, et c'est de là
qu'il m'appelait, en criant de toutes ses forces: « Robinson! Robinson! mon pauvre Robinson!»

Malheureusement nous étions loin; le capitaine criait: « Dépêchons-nous.»

— Nous viendrons le chercher demain, dit M. Eyssette; sur les bateaux, rien ne s'égare.[1] Et là-dessus, malgré mes larmes, il m'entraîna. Le lendemain on l'envoya chercher et on ne le trouva pas... Jugez de mon désespoir: plus[2] de Vendredi! plus de perroquet! Robinson n'était plus possible. Le moyen, d'ailleurs, avec la meilleure volonté du monde, de se forger une île déserte, à un quatrième étage, dans une maison sale et humide.

Au bout d'un mois, la vieille Annou tomba malade. Les brouillards la tuaient; on dut la renvoyer dans le Midi. Cette pauvre fille, qui aimait ma mère à la passion, ne pouvait pas se décider à nous quitter. Elle suppliait qu'on la gardât, promettant de ne pas mourir. Il fallut l'embarquer de force. Arrivée dans le Midi, elle s'y maria de désespoir.

Annou partie, on ne prit pas de nouvelle bonne, ce qui me parut le comble de la misère... La femme du concierge montait faire le gros ouvrage;[3] ma mère, au feu des fourneaux, calcinait ses belles mains blanches que j'aimais tant à embrasser; quant aux provisions, c'est Jacques qui les faisait. On lui mettait un grand panier sous le bras, en lui disant: « Tu achèteras ça et ça »; et il achetait ça et ça très bien, toujours en pleurant, par exemple.

Pauvre Jacques! il n'était pas heureux, lui non plus.[4] M. Eyssette, de le voir éternellement la larme à l'œil, avait fini par le prendre en grippe[5] et l'abreuvait de taloches[6]... Le fait est que, lorsque son père était là, le malheureux Jacques

perdait tous ses moyens. Écoutez la scène de la
cruche :

Un soir, au moment de se mettre à table, on s'aperçoit qu'il n'y a plus une goutte d'eau dans la maison.

5   — Si vous voulez, j'irai en chercher, dit ce bon enfant de Jacques.

Et le voilà qui prend la cruche, une grosse cruche
de grès.

M. Eyssette hausse les épaules :

10   — Si c'est Jacques qui y va, dit-il, la cruche est
cassée, c'est sûr.

— Tu entends, Jacques, — c'est Mme Eyssette qui
parle avec sa voix tranquille, — tu entends, ne la casse
pas, fais bien attention.

15   M. Eyssette reprend :

— Oh! tu as beau lui dire[1] de ne pas la casser, il la
cassera tout de même.

Ici, la voix éplorée de Jacques :

— Mais enfin, pourquoi voulez-vous que je la casse ?

20   — Je ne veux pas que tu la casses, je te dis que tu
la casseras, répond M. Eyssette, et d'un ton qui n'ad-
met pas de réplique.

Jacques ne réplique pas; il prend la cruche d'une
main fiévreuse et sort brusquement avec l'air de dire :

25   — Ah! je la casserai ? Eh bien, nous allons voir.

Cinq minutes, dix minutes se passent; Jacques ne
revient pas. Mme Eyssette commence à se tourmenter :

— Pourvu qu'il ne lui soit rien arrivé![2]

— Parbleu! que veux-tu qu'il lui soit arrivé ? dit
30 M. Eyssette d'un ton bourru. Il a cassé la cruche et
n'ose plus rentrer.

Mais tout en disant cela, — avec son air bourru,

c'était le meilleur homme du monde, — il se lève et
va ouvrir la porte pour voir un peu ce que Jacques
était devenu. Il n'a pas loin à aller; Jacques est debout
sur le palier, devant la porte, les mains vides, silencieux, pétrifié. En voyant M. Eyssette, il pâlit, et 5
d'une voix navrante et faible, oh! si faible: « Je l'ai
cassée,» dit-il... Il l'avait cassée!...

Dans les archives de la maison Eyssette, nous ap-
pelons cela « la scène de la cruche.»

Il y avait environ deux mois que nous étions à Lyon, 10
lorsque nos parents songèrent à nos études. Mon père
aurait bien voulu nous mettre au collège, mais c'était
trop cher. « Si nous les envoyions dans une manécanterie?[1] dit Mme Eyssette; il paraît que les enfants
y sont bien.» Cette idée sourit à mon père, et comme 15
Saint-Nizier était l'église la plus proche, on nous envoya à la manécanterie de Saint-Nizier.

C'était très amusant, la manécanterie! Au lieu de
nous bourrer la tête de grec et de latin comme dans les
autres institutions, on nous apprenait à servir la messe, 20
à chanter les antiennes, à faire des génuflexions, à encenser élégamment, ce qui est très difficile. Il y avait
bien par-ci, par-là, quelques heures dans le jour con-
sacrées aux déclinaisons et à l'*Epitome*,[2] mais ceci
n'était qu'accessoire.[3] Avant tout, nous étions là pour 25
le service de l'église.

Malheureusement j'étais très petit, et cela me désespérait. Figurez-vous que, même en me haussant, je
ne montais guère plus haut que les bas blancs de
M. Caduffe, notre suisse;[4] et puis si frêle!... Une 30
fois, à la messe, en changeant les Évangiles de place,[5]
le gros livre était si lourd qu'il m'entraîna. Je tombai

de tout mon long sur les marches de l'autel. Le pupitre fut brisé, le service interrompu. C'était un jour
de Pentecôte.[1] Quel scandale!... A part[2] ces légers
inconvénients de ma petite taille, j'étais très content
5 de mon sort, et souvent le soir, en nous couchant, Jacques et moi, nous nous disions: « En somme, c'est
très amusant la manécanterie.» Par malheur, nous n'y
restâmes pas longtemps. Un ami de la famille, recteur d'université dans le Midi, écrivit un jour à mon
10 père que s'il voulait une bourse d'externe[3] au collège
de Lyon pour un de ses fils, on pourrait lui en avoir
une.

— Ce sera pour Daniel, dit M. Eyssette.

— Et Jacques? dit ma mère.

15 — Oh! Jacques! je le garde avec moi; il me sera
très utile. D'ailleurs, je m'aperçois qu'il a du goût
pour le commerce. Nous en ferons un négociant.

De bonne foi, je ne sais comment M. Eyssette avait
pu s'apercevoir que Jacques avait du goût pour le
20 commerce. En ce temps-là, le pauvre garçon n'avait
du goût que pour les larmes, et si on l'avait consulté...
Mais on ne le consulta pas, ni moi non plus.

Ce qui me frappa d'abord, à mon arrivée au collège,
c'est que j'étais le seul avec une blouse. A Lyon, les
25 fils des riches ne portent pas de blouses. Quand j'entrai
dans la classe, les élèves ricanèrent. On disait: «Tiens!
il a une blouse!» Le professeur fit la grimace et tout
de suite me prit en aversion. Depuis lors, quand il me
parla, ce fut toujours d'un air méprisant. Jamais il
30 ne m'appela par mon nom; il disait toujours: « Eh!
vous, là-bas, le petit Chose! » Je lui avais dit pourtant plus de vingt fois que je m'appelais Daniel

Ey-sset-te... A la fin, mes camarades me surnom-
mèrent « le petit Chose,» et le surnom me resta...

Ce n'était pas seulement ma blouse qui me distin-
guait des autres enfants. Les autres avaient de beaux
cartables en cuir jaune, des encriers de buis qui sen-
taient bon, des cahiers cartonnés, des livres neufs avec
beaucoup de notes dans le bas ; moi, mes livres étaient
de vieux bouquins, moisis, fanés ; les couvertures étaient
toujours en lambeaux, quelquefois il manquait des
pages. Jacques faisait bien de son mieux pour me les
relier avec du gros carton et de la colle forte ; mais il
mettait toujours trop de colle. Il m'avait fait aussi un
cartable avec une infinité de poches, très commode,
mais toujours trop de colle. Le besoin de coller et de
cartonner[1] était devenu chez Jacques une manie comme
le besoin de pleurer. Il avait constamment devant le
feu un tas de petits pots de colle, et, dès qu'il pouvait
s'échapper du magasin un moment, il collait, reliait,
cartonnait.

Quant à moi, j'avais compris que lorsqu'on est boursier,[2] qu'on porte une blouse, qu'on s'appelle « le petit
Chose,» il faut travailler deux fois plus que les autres
pour être leur égal, et ma foi ! le petit Chose se mit à
travailler de tout son courage.

C'était un lundi du mois de juillet.

Ce jour-là, en sortant du collège, je m'étais laissé
entraîner à faire une partie de barres,[3] et lorsque je me
décidai à rentrer à la maison, il était beaucoup plus
tard que je n'aurais voulu. Aussi je courus sans m'arrêter, mes livres à la ceinture, ma casquette entre les
dents. Toutefois, comme j'avais une peur effroyable
de mon père, je repris haleine une minute dans l'es-

calier, juste le temps d'inventer une histoire pour expliquer mon retard. Sur quoi, je sonnai bravement.

Ce fut M. Eyssette lui-même qui vint m'ouvrir. « Comme tu viens tard! » me dit-il. Je commençais à débiter mon mensonge en tremblant; mais le cher homme ne me laissa pas achever et, m'attirant sur sa poitrine, il m'embrassa longuement et silencieusement.

Moi qui m'attendais pour le moins à une verte semonce,[1] cet accueil me surprit. Ma première idée fut que nous avions le curé de Saint-Nizier à dîner; je savais par expérience qu'on ne nous grondait jamais ces jours-là. Mais en entrant dans la salle à manger, je vis tout de suite que je m'étais trompé. Il n'y avait que deux couverts sur la table, celui de mon père et le mien.

— Et ma mère? Et Jacques? demandai-je, étonné.

M. Eyssette me répondit d'une voix douce qui ne lui était pas habituelle:

— Ta mère et Jacques sont partis, Daniel; ton frère l'abbé est bien malade.

Puis, voyant que j'étais devenu tout pâle, il ajouta presque gaiement pour me rassurer:

— Quand je dis bien malade, c'est une façon de parler: on nous a écrit que l'abbé était au lit; tu connais ta mère, elle a voulu partir, et je lui ai donné Jacques pour l'accompagner... En somme, ce ne sera rien!... Et maintenant, mets-toi là et mangeons; je meurs de faim.

Je m'attablai sans rien dire, mais j'avais le cœur serré[2] et toutes les peines du monde à retenir mes larmes, en pensant que mon grand frère l'abbé était bien malade. Je me le figurais là-bas, couché, malade

(oh! bien malade; quelque chose me le disait), et ce
qui redoublait mon chagrin de le savoir ainsi, c'est une
voix que j'entendais me crier au fond du cœur : « Dieu
te punit, c'est ta faute! Il fallait rentrer tout droit ![1] Il
fallait ne pas mentir ! » Et plein de cette effroyable 5
pensée que Dieu, pour le punir, allait faire mourir son
frère, le petit Chose se désespérait en lui-même, disant :
« Jamais, non! jamais, je ne jouerai plus aux barres en
sortant du collège.»

Le repas terminé, on alluma la lampe, et la veillée 10
commença. Sur la nappe, au milieu des débris du
dessert, M. Eyssette avait posé ses gros livres de commerce et faisait ses comptes à haute voix... ; moi,
j'avais ouvert la fenêtre et je m'y étais accoudé...

J'étais là depuis quelques instants, pensant à des 15
choses tristes et regardant vaguement dans la nuit,
quand un violent coup de sonnette m'arracha de ma
croisée brusquement. Je regardai mon père avec
effroi, et je m'élançai vers la porte.

Un homme était debout sur le seuil. Je l'entrevis 20
dans l'ombre, me tendant quelque chose que j'hésitais
à prendre.

— C'est une dépêche, dit-il.

— Une dépêche, grand Dieu! pourquoi faire?[2]

Je la pris en frissonnant, et déjà je repoussais la 25
porte; mais l'homme la retint avec son pied et me dit
froidement :

— Il faut signer.

Il fallait signer! Je ne savais pas : c'était la première dépêche que je recevais.   30

— Qui est là, Daniel? me cria M. Eyssette; sa voix
tremblait.

Je répondis :

— Rien ! c'est un pauvre... Et faisant signe à l'homme de m'attendre, je courus à ma chambre, je trempai ma plume dans l'encre à tâtons, puis je revins.

5 L'homme dit :

— Signez là.

Le petit Chose signa d'une main tremblante, à la lueur des lampes de l'escalier ; ensuite il ferma la porte et rentra, tenant la dépêche cachée sous sa blouse.

10 — C'était un pauvre ? me dit mon père en me regardant.

Je répondis, sans rougir : « C'était un pauvre ; » et pour détourner ses soupçons, je repris ma place à la croisée.

15 J'y restai encore quelque temps, ne bougeant pas, ne parlant pas, serrant contre ma poitrine ce papier qui me brûlait.

Par moments, j'essayais de me raisonner, de me donner du courage, je me disais : « Qu'en sais-tu ? c'est
20 peut-être une bonne nouvelle. Peut-être on écrit qu'il est guéri... » Mais, au fond, je sentais bien que ce n'était pas vrai, que je me mentais à moi-même, que la dépêche ne dirait pas qu'il était guéri.

Enfin, je me décidai à passer dans ma chambre pour
25 savoir à quoi m'en tenir.[1] Je sortis de la salle à manger, lentement, sans avoir l'air ;[2] mais quand je fus dans ma chambre, avec quelle rapidité fiévreuse j'allumai ma lampe ! Et comme mes mains tremblaient en ouvrant cette dépêche de mort !... Je la relus vingt
30 fois, espérant toujours m'être trompé ; mais j'eus beau[3] la lire et la relire, et la tourner dans tous les sens, je ne pus lui faire dire autre chose que ce qu'elle

avait dit d'abord, ce que je savais bien qu'elle dirait:

« Il est mort! Priez pour lui! »

Combien de temps je restai là, debout, pleurant devant cette dépêche ouverte, je l'ignore. Je me souviens seulement que les yeux me cuisaient[1] beaucoup, et qu'avant de sortir de ma chambre je baignai mon visage longuement. Puis, je rentrai dans la salle à manger, tenant dans ma petite main crispée la dépêche.

Et maintenant, qu'allais-je faire? Comment m'y prendre[2] pour annoncer l'horrible nouvelle à mon père, et quel ridicule enfantillage m'avait poussé à la garder pour moi seul? Un peu plus tôt, un peu plus tard, est-ce qu'il ne l'aurait pas su? Quelle folie! Au moins, si j'étais allé droit à lui lorsque la dépêche était arrivée, nous l'aurions ouverte ensemble; à présent, tout serait dit.

Or, tandis que je me parlais à moi-même, je m'approchai de la table et je vins m'asseoir à côté de M. Eyssette, juste à côté de lui.

Alors, comme je le regardais ainsi tristement avec ma dépêche à la main, M. Eyssette leva la tête. Nos regards se rencontrèrent, et je ne sais pas ce qu'il vit dans le mien, mais je sais que sa figure se décomposa tout à coup, qu'un grand cri jaillit de sa poitrine, qu'il me dit d'une voix à fendre l'âme: « Il est mort, n'est-ce pas? » que la dépêche glissa de mes doigts, que je tombai dans ses bras en sanglotant, et que nous pleurâmes longuement dans les bras l'un de l'autre.

III

Il y avait déjà quelque temps que notre cher abbé
était mort, lorsqu'un soir, à l'heure de nous coucher,
je fus très étonné de voir Jacques fermer notre chambre à double tour,[1] boucher soigneusement les rainures
5 de la porte, et, cela fait, venir vers moi, d'un grand air
de solennité et de mystère.

Il faut vous dire que, depuis son retour du Midi, un
singulier changement s'était opéré dans les habitudes
de l'ami Jacques.   D'abord, ce que peu de personnes
10 voudront croire, Jacques ne pleurait plus, ou presque
plus ; puis, son fol amour du cartonnage lui avait à
peu près passé.   Les petits pots de colle allaient encore
au feu de temps en temps, mais ce n'était plus avec le
même entrain.   A la maison, on ne s'apercevait de
15 rien ; mais moi, je voyais bien que Jacques avait quelque chose.   Plusieurs fois, je l'avais surpris dans le
magasin, parlant seul et faisant des gestes.   La nuit,
il ne dormait pas ; je l'entendais marmotter entre ses
dents, puis subitement sauter à bas du lit et marcher
20 à grands pas dans la chambre…, tout cela n'était pas
naturel et me faisait peur quand j'y songeais.   Il me
semblait que Jacques allait devenir fou.

Ce soir-là, quand je le vis fermer à double tour la
porte de notre chambre, cette idée de folie me revint
25 dans la tête et j'eus un mouvement d'effroi ; mon
pauvre Jacques ! lui,[2] ne s'en aperçut pas, et prenant
gravement une de mes mains dans les siennes :

— Daniel, me dit-il, je vais te confier quelque

chose, mais il faut me jurer que tu n'en parleras
jamais.

Je répondis sans hésiter :

— Je te le jure, Jacques.

— Eh bien ! tu ne sais pas ?... Je fais un poème, 5
un grand poème.

— Un poème, Jacques ! tu fais un poème, toi !

Pour toute réponse, Jacques tira de dessous sa veste
un énorme cahier rouge qu'il avait cartonné lui-même,
et en tête duquel il avait écrit de sa plus belle main : 10

RELIGION ! RELIGION !

Poème en douze chants.

PAR EYSSETTE (JACQUES).

Comprenez cela !... Jacques, mon frère Jacques,
un enfant de treize ans, le Jacques des sanglots et des 15
petits pots de colle, faisait : *Religion ! Religion !* poème
en douze chants.

Et personne ne s'en doutait ![1] et on continuait à
l'envoyer chez les marchands d'herbes avec un panier
sous le bras ! et son père lui criait plus que jamais : 20
« Jacques, tu es un âne !...»

Pourtant la vérité m'oblige à dire que ce poème en
douze chants était loin d'être terminé. Je crois même
qu'il n'y avait encore de fait que les quatre premiers
vers du premier chant ; mais vous savez, en ces sortes 25
d'ouvrages la mise en train[2] est toujours ce qu'il y a de
plus difficile, et comme disait Eyssette (Jacques) avec
beaucoup de raison : « Maintenant que j'ai mes quatre
premiers vers, le reste n'est rien ; ce n'est plus qu'une
affaire de temps.»

30

Ce reste qui n'était rien qu'une affaire de temps, jamais Eyssette (Jacques) n'en put venir à bout[1]... A la fin, ses sanglots le reprirent et les petits pots de colle reparurent devant le feu... Et le cahier rouge?... Oh! le cahier rouge, il avait sa destinée aussi, celui-là.

Jacques me dit: « Je te le donne, mets-y ce que tu voudras.» Savez-vous ce que j'y mis, moi?... Mes poésies, parbleu! les poésies du petit Chose. Jacques m'avait donné son mal.[2]

Et maintenant, si le lecteur le veut bien, nous allons d'une enjambée franchir quatre ou cinq années de ma vie. J'ai hâte d'arriver à un certain printemps de 18.., dont la maison Eyssette n'a pas encore aujourd'hui perdu le souvenir.

Du reste, ce fragment de ma vie que je passe sous silence, le lecteur ne perdra rien à ne pas le connaître. C'est toujours la même chanson, des larmes et de la misère! les affaires qui ne vont pas, des privations de toutes sortes, des humiliations de tous les jours, l'éternel « comment ferons-nous demain? »

Nous voilà donc en 18...

Cette année-là, le petit Chose achevait sa philosophie.[3]

C'était, si j'ai bonne mémoire, un jeune garçon très prétentieux, se prenant tout à fait au sérieux comme philosophe et aussi comme poète; du reste, pas plus haut qu'une botte et sans un poil de barbe au menton.

Or, un matin que ce grand philosophe de petit Chose se disposait à aller en classe, M. Eyssette père l'appela dans le magasin, et sitôt qu'il le vit entrer, lui fit de sa voix brutale:

— Daniel, jette tes livres, tu ne vas plus au collège. J'ai une mauvaise nouvelle à t'apprendre, oh! bien mauvaise...nous allons être obligés de nous séparer tous.

Ici, un grand sanglot, un sanglot déchirant retentit 5 derrière la porte entre-bâillée.

— Jacques, tu es un âne! cria M. Eyssette sans se retourner, puis il continua :

— Quand nous sommes venus à Lyon, il y a huit ans, ruinés par les révolutionnaires, j'espérais, à force 10 de travail, arriver à reconstruire notre fortune; mais je n'ai réussi qu'à nous enfoncer jusqu'au cou dans les dettes et dans la misère... A présent, c'est fini, nous sommes embourbés... Pour sortir de là, nous n'avons qu'un parti à prendre : vendre le peu qui nous reste 15 et chercher notre vie chacun de notre côté.[1]

Un nouveau sanglot de l'invisible Jacques vint interrompre M. Eyssette; mais il était tellement ému luimême qu'il ne se fâcha pas. Il fit seulement signe à Daniel de fermer la porte, et, la porte fermée, il reprit : 20

— Voici donc ce que j'ai décidé : jusqu'à nouvel ordre, ta mère va s'en aller vivre dans le Midi, chez son frère, l'oncle Baptiste. Jacques restera à Lyon; il a trouvé un petit emploi au Mont-de-piété.[2] Moi, j'entre comme commis-voyageur à la Société vini- 25 cole[3]... Quant à toi, mon pauvre enfant, il va falloir aussi que tu gagnes ta vie... Justement, je reçois une lettre du recteur qui te propose une place de maître d'étude;[4] tiens, lis!

Le petit Chose prit la lettre.   30

— D'après ce que je vois, dit-il tout en lisant, je n'ai pas de temps à perdre.

— Il faudrait partir demain.

— C'est bien, je partirai...

Là-dessus le petit Chose replia la lettre et la rendit
à son père d'une main qui ne tremblait pas. C'était
5 un grand philosophe, comme vous voyez.

Le lendemain de cette journée mémorable, toute la
famille accompagna le petit Chose au bateau. Par une
coïncidence singulière, c'était le même bateau qui avait
amené les Eyssette à Lyon six ans auparavant.

10 Tout à coup la cloche sonna. Il fallait partir.

Le petit Chose, s'arrachant aux étreintes de ses
amis, franchit bravement la passerelle...

— Sois sérieux, lui cria son père.

— Ne sois pas malade, dit Mme Eyssette.

15 Jacques voulait parler, mais il ne put pas, il pleurait
trop.

Le petit Chose ne pleurait pas, lui. Comme j'ai eu
l'honneur de vous le dire, c'était un grand philosophe,
et positivement les philosophes ne doivent pas s'atten-
20 drir...

Et pourtant, Dieu sait s'il les aimait, ces chères
créatures qu'il laissait derrière lui, dans le brouillard.
Mais la joie de quitter Lyon, le mouvement du bateau,
l'ivresse du voyage, l'orgueil de se sentir homme, —
25 homme libre, voyageant seul et gagnant sa vie, — tout
cela grisait le petit Chose et l'empêchait de songer,
comme il aurait dû, aux trois êtres chéris qui sanglo-
taient là-bas, debout sur les quais du Rhône...

Ah! ce n'étaient pas des philosophes, ces trois-là.
30 D'un œil anxieux et plein de tendresse, ils suivaient la
marche asthmatique du navire, et son panache de fumée
n'était pas plus gros qu'une hirondelle à l'horizon,

qu'ils criaient encore: « Adieu! adieu! » en faisant
des signes.

Pendant ce temps, monsieur le philosophe se pro-
menait de long en large sur le pont, les mains dans les
poches.   5

Une fois, en marchant d'un bout à l'autre du navire,
notre philosophe heurta du pied, à l'avant, près de
la grosse cloche, un paquet de cordes sur lequel, à
six ans de là, Robinson Crusoé était venu s'asseoir
pendant de longues heures, son perroquet entre les   10
jambes. Ce paquet de cordes le fit beaucoup rire et
un peu rougir.

— Que je devais être ridicule, pensait-il, de traîner
partout avec moi cette grande cage peinte en bleu et
ce perroquet fantastique...   15

Le premier soin du petit Chose, en arrivant dans sa
ville natale, fut de se rendre à l'Académie, où logeait
M. le recteur.

Ce recteur, ami d'Eyssette père, accueillit Eyssette
fils avec une grande bienveillance. Toutefois, quand 20
on l'introduisit dans son cabinet, le brave homme ne
put retenir un geste de surprise.

— Ah! mon Dieu! dit-il, comme il est petit!

Le fait est que le petit Chose était ridiculement petit;
et puis l'air si jeune, si mauviette.[1]   25

L'exclamation du recteur lui porta un coup terrible:
« Ils ne vont pas vouloir de moi, » pensa-t-il. Et tout
son corps se mit à trembler.

Heureusement, comme s'il eût deviné ce qui se passait dans cette pauvre petite cervelle, le recteur reprit: 30

— Approche ici, mon garçon... Nous allons donc
faire de toi un maître d'étude... A ton âge, avec cette

taille et cette figure-là, le métier te sera plus dur qu'à
un autre... Mais enfin, puisqu'il le faut, puisqu'il
faut que tu gagnes ta vie, mon cher enfant, nous ar-
rangerons cela pour le mieux... En commençant, on
5 ne te mettra pas dans une grande baraque... Je vais
t'envoyer dans un collège, à quelques lieues d'ici, à
Sarlande,[1] en pleine montagne... Là tu feras ton
apprentissage d'homme, tu grandiras, tu prendras de
la barbe; puis, nous verrons!

10 Tout en parlant, M. le recteur écrivait au principal
du collège de Sarlande pour lui présenter son protégé.
La lettre terminée, il la remit au petit Chose et l'engagea à partir le jour même; là-dessus, il lui donna quelques sages conseils et le congédia d'une tape amicale
15 sur la joue en lui promettant de ne pas le perdre de vue.

Voilà mon petit Chose bien content. Quatre à quatre[2]
il dégringole l'escalier séculaire de l'Académie et s'en
va retenir sa place pour Sarlande.

La diligence ne part que dans l'après-midi; encore
20 quatre heures à attendre! Le petit Chose en profite
pour aller parader au soleil sur l'esplanade et se montrer à ses compatriotes. Ce premier devoir accompli,
il songe à prendre quelque nourriture et se met en
quête d'un cabaret à portée[3] de son escarcelle... Juste
25 en face des casernes, il en avise un propret, reluisant,
avec une belle enseigne toute neuve.

Au Compagnon du tour de France.[4]

— Voici mon affaire, se dit-il. Et après quelques
minutes d'hésitation, — c'est la première fois que le
30 petit Chose entre dans un restaurant, — il pousse résolument la porte.

Le cabaret est désert pour le moment. Des murs peints à la chaux..., quelques tables de chêne.... Au comptoir, un gros homme qui ronfle, le nez dans un journal.

— Holà! quelqu'un! dit le petit Chose, en frappant de son poing fermé sur les tables.

Le gros homme du comptoir ne se réveille pas pour si peu; mais du fond de l'arrière-boutique, la cabaretière accourt... En voyant le nouveau client, elle pousse un grand cri:

— Miséricorde! monsieur Daniel!

— Annou! ma vieille Annou! répond le petit Chose. Et les voilà dans les bras l'un de l'autre.

Eh! mon Dieu, oui, c'est Annou, la vieille Annou, anciennement bonne des Eyssette, maintenant cabaretière, mariée à Jean Peyrol, ce gros qui ronfle là-bas dans le comptoir... Et comme elle est heureuse, cette brave Annou, comme elle est heureuse de revoir M. Daniel!

Au milieu de ces effusions, l'homme du comptoir se réveille.

Il s'étonne d'abord un peu du chaleureux accueil que sa femme est en train de faire à ce jeune inconnu; mais quand on lui apprend que ce jeune inconnu est M. Daniel Eyssette en personne, Jean Peyrol devient rouge de plaisir et s'empresse autour de son illustre visiteur.

— Avez-vous déjeuné, monsieur Daniel?

— Ma foi! non, mon bon Peyrol;... c'est précisément ce qui m'a fait entrer ici.

Justice divine!... M. Daniel n'a pas déjeuné!... La vieille Annou court à sa cuisine; Jean Peyrol se précipite à la cave.

En un tour de main, le couvert est mis, la table est
parée, le petit Chose n'a qu'à s'asseoir et à fonction-
ner...

Il parle, il boit, il mange, il s'anime; ses yeux brillent,
5 sa joue s'allume. Holà! maître Peyrol, qu'on aille
chercher des verres! le petit Chose va trinquer...
Jean Peyrol apporte les verres et on trinque...d'abord
à Mme Eyssette, ensuite à M. Eyssette, puis à Jacques,
à Daniel, à la vieille Annou, au mari d'Annou, à l'Uni-
10 versité..., à quoi encore?...

Deux heures se passent ainsi en libations et en ba-
vardages. On cause du passé couleur de deuil, de
l'avenir couleur de rose. On se rappelle la fabrique,
Lyon, ce pauvre abbé qu'on aimait tant...

15 Tout à coup le petit Chose se lève pour partir...

— Déjà? dit tristement la vieille Annou.

Le petit Chose s'excuse; il a quelqu'un de la ville à
voir avant de s'en aller, une visite très importante...
Quel dommage! on était si bien!... On avait tant de
20 choses à se raconter encore!... Enfin, puisqu'il le
faut, puisque M. Daniel a quelqu'un de la ville à voir,
ses amis du *Tour de France* ne veulent pas le retenir
plus longtemps... « Bon voyage, monsieur Daniel!
Dieu vous conduise, notre cher maître! » Et jusqu'au
25 milieu de la rue, Jean Peyrol et sa femme l'accom-
pagnent de leurs bénédictions.

Or, savez-vous quel est ce quelqu'un de la ville que
le petit Chose veut voir avant de partir?

C'est la fabrique, cette fabrique qu'il aimait tant et
30 qu'il a tant pleurée!... c'est le jardin, les ateliers, les
grands platanes, tous les amis de son enfance, toutes
ses joies du premier jour... Que voulez-vous? Le

cœur de l'homme a de ses faiblesses ; il aime ce qu'il
peut, même du bois, même des pierres, même une
fabrique... Il n'est donc pas étonnant que, pour la
revoir, le petit Chose fasse quelques pas. Et lui[1] se
dépêche ; mais, arrivé devant la fabrique, il s'arrête 5
stupéfait.

De grandes murailles grises sans un bout de laurier-
rose ou de grenadier. Au-dessus de la porte, une grosse
croix de grès rouge avec un peu de latin autour !...

O douleur ! la fabrique n'est plus la fabrique ; c'est 10
un couvent de Carmélites, où les hommes n'entrent
jamais.

IV

Sarlande est une petite ville des Cévennes,[2] bâtie au
fond d'une étroite vallée que la montagne enserre de
partout comme un grand mur. Quand le soleil y 15
donne[3] c'est une fournaise : quand la tramontane[4] souffle, une glacière...

Le soir de mon arrivée, la tramontane faisait rage[5]
depuis le matin ; et quoiqu'on fût au printemps, le petit
Chose, perché sur le haut de la diligence, sentit, en en- 20
trant dans la ville, le froid le saisir jusqu'au cœur.

A peine descendu de mon impériale,[6] je me fis conduire au collège, sans perdre une minute. J'avais hâte
d'entrer en fonctions.

Le collège n'était pas loin de la place ; après m'avoir 25
fait traverser deux ou trois larges rues silencieuses,
l'homme qui portait ma malle s'arrêta devant une
grande maison, où tout semblait mort depuis des
années.

C'est ici, dit-il, en soulevant l'énorme marteau de la porte...

Le marteau retomba lourdement, lourdement... La porte s'ouvrit d'elle-même... Nous entrâmes... Bien-tôt après, un portier somnolent, tenant à la main une grosse lanterne, s'approcha de moi.

— Vous êtes sans doute un nouveau? me dit-il d'un air endormi.

Il me prenait pour un élève...

— Je ne suis pas un élève du tout, je viens ici comme maître d'études; conduisez-moi chez le principal...

Le portier parut surpris; il souleva un peu sa casquette et m'engagea à entrer une minute dans sa loge. Pour le quart d'heure,[1] M. le principal était à l'église avec les enfants. On me mènerait chez lui dès que la prière du soir serait terminée.

Dans la loge, on achevait de souper. Un grand beau gaillard à moustaches blondes dégustait un verre d'eau-de-vie aux côtés d'une petite femme maigre.

— Qu'est-ce donc, monsieur Cassagne? demanda l'homme aux moustaches.

— C'est le nouveau maître d'étude, répondit le concierge en me désignant... Monsieur est si petit que je l'avais d'abord pris pour un élève.

— Le fait est, dit l'homme aux moustaches en me regardant par-dessus son verre, que nous avons ici des élèves beaucoup plus grands et même plus âgés que monsieur... Veillon l'aîné, par exemple.

— Et Crouzat, ajouta le concierge.

— Et Soubeyrol..., fit[2] la femme.

Là-dessus, ils se mirent à parler entre eux à voix basse, le nez dans leur vilaine eau-de-vie et me dé-

visageant du coin de l'œil... Au dehors on entendait
la tramontane qui ronflait et les voix criardes des élèves
récitant les litanies à la chapelle.

Tout à coup une cloche sonna; un grand bruit de
pas se fit dans les vestibules.   5

— La prière est finie, me dit M. Cassagne en se
levant; montons chez le principal.

Il prit sa lanterne, et je le suivis.

Le collège me sembla immense... D'interminables
corridors, de grands porches, de larges escaliers avec 10
des rampes de fer ouvragé[1]..., tout cela vieux, noir,
enfumé... Le portier m'apprit qu'avant 89[2] la maison
était une école de marine, et qu'elle avait compté jusqu'à huit cents élèves, tous de la plus grande noblesse.

Comme il achevait de me donner ces précieux ren- 15
seignements, nous arrivions devant le cabinet du principal... M. Cassagne frappa deux fois.

Une voix répondit: « Entrez! » Nous entrâmes.

— Monsieur le principal, dit le portier en me pous-
sant devant lui, voici le nouveau maître qui vient pour 20
remplacer M. Serrières.

— C'est bien, fit le principal sans se déranger.

Le portier s'inclina et sortit. Je restai debout au
milieu de la pièce, en tortillant mon chapeau entre mes
doigts.   25

Quand il eut fini d'écrire, le principal se tourna vers
moi, et je pus examiner à mon aise sa petite face pâlotte
et sèche, éclairée par deux yeux froids, sans couleur.
Lui, de son côté, releva, pour mieux me voir, l'abat-
jour de la lampe et accrocha un lorgnon à son nez.   30

— Mais c'est un enfant! s'écria-t-il en bondissant
sur son fauteuil. Que veut-on que je fasse d'un enfant?

Pour le coup,[1] le petit Chose eut une peur terrible ;
il se voyait déjà dans la rue, sans ressources... Il eut
à peine la force de balbutier deux ou trois mots et de
remettre au principal la lettre d'introduction qu'il avait
5 pour lui.

Le principal prit la lettre, la lut, la relut, la plia, la
déplia, la relut encore, puis il finit par me dire que,
grâce à la recommandation toute particulière du recteur et à l'honorabilité de ma famille, il consentait à
10 me prendre chez lui, bien que ma grande jeunesse lui
fît peur. Il entama ensuite de longues déclamations
sur la gravité de mes nouveaux devoirs ; mais je ne
l'écoutais plus. Pour moi, l'essentiel était qu'on ne
me renvoyât pas... On ne me renvoyait pas ; j'étais
15 heureux, follement heureux.

Un formidable bruit de ferraille m'arrêta dans mes
effusions. Je me retournai vivement et me trouvai en
face d'un long personnage, à favoris rouges, qui venait
d'entrer dans le cabinet sans qu'on l'eût entendu :
20 c'était le surveillant général.[2]

Sa tête penchée sur l'épaule, il me regardait avec le
plus doux des sourires, en secouant un trousseau de
clefs de toutes dimensions, suspendu à son index. Le
sourire m'aurait prévenu en sa faveur, mais les clefs
25 grinçaient avec un bruit terrible, — frinc ! frinc ! frinc !
— qui me fit peur.

— Monsieur Viot, dit le principal, voici le remplaçant de M. Serrières qui nous arrive.

M. Viot s'inclina et me sourit le plus doucement du
30 monde. Ses clefs, au contraire, s'agitèrent d'un air ironique et méchant, comme pour dire : « Ce petit homme-
là remplacer M. Serrières ! allons donc ! allons donc ! »

Le principal comprit aussi bien que moi ce que les clefs venaient de dire, et il ajouta avec un soupir : « Je sais qu'en perdant M. Serrières, nous faisons une perte presque irréparable (ici les clefs poussèrent un véritable sanglot...) ; mais je suis sûr que si M. Viot 5 veut bien prendre le nouveau maître sous sa tutelle spéciale, et lui inculquer ses précieuses idées sur l'enseignement, l'ordre et la discipline de la maison n'auront pas trop à souffrir du départ de M. Serrières.»

Toujours souriant et doux, M. Viot répondit que 10 sa bienveillance m'était acquise et qu'il m'aiderait volontiers de ses conseils ; mais les clefs n'étaient pas bienveillantes, elles. Il fallait les entendre s'agiter et grincer avec frénésie : « Si tu bouges, petit drôle, gare à toi.» 15

— Monsieur Eyssette, vous pouvez vous retirer. Pour ce soir encore, il faudra que vous couchiez à l'hôtel... Soyez ici demain à huit heures...»

Et il me congédia d'un geste digne.

M. Viot, plus souriant et plus doux que jamais, 20 m'accompagna jusqu'à la porte ; mais, avant de me quitter, il me glissa dans la main un petit cahier.

— C'est le règlement de la maison, me dit-il. Lisez et méditez...

Puis il ouvrit la porte et la referma sur moi, en 25 agitant ses clefs d'une façon...frinc! frinc! frinc!

Ces messieurs avaient oublié de m'éclairer... J'errai un moment parmi les grands corridors tout noirs, tâtant les murs pour essayer de retrouver mon chemin. De loin en loin, un peu de lune entrait par le grillage 30 d'une fenêtre haute et m'aidait à m'orienter. Tout à coup, dans la nuit des galeries, un point lumineux

brilla, venant à ma rencontre... Je fis encore quelques
pas; la lumière grandit, s'approcha de moi, passa à
mes côtés, s'éloigna, disparut. Ce fut comme une
vision; mais, si rapide qu'elle eût été, je pus en saisir
5 les moindres détails.

Figurez-vous deux femmes, non, deux ombres...
L'une vieille, ridée, ratatinée, pliée en deux, avec
d'énormes lunettes qui lui cachaient la moitié du
visage; l'autre, jeune, svelte, un peu grêle comme tous
10 les fantômes, mais ayant, — ce que les fantômes n'ont
pas en général, — une paire d'yeux noirs, très grands,
et si noirs, si noirs... La vieille tenait à la main une
petite lampe de cuivre; les yeux noirs, eux, ne por-
taient rien... Les deux ombres passèrent près de moi,
15 rapides, silencieuses, sans me voir, et depuis longtemps
elles avaient disparu que j'étais encore debout, à la
même place, sous une double impression de charme et
de terreur.

Je repris ma route à tâtons, mais le cœur me battait
20 bien fort, et j'avais toujours devant moi, dans l'ombre,
l'horrible fée aux lunettes marchant à côté des yeux
noirs...

Il s'agissait maintenant de découvrir un gîte pour
la nuit; ce n'était pas une mince affaire. Heureuse-
25 ment, l'homme aux moustaches, que je trouvai fumant
sa pipe devant la loge du portier, se mit tout de suite
à ma disposition et me proposa de me conduire dans un
bon petit hôtel point trop cher, où je serais servi comme
un prince. Vous pensez si j'acceptai de bon cœur.
30 Cet homme à moustaches avait l'air très bon enfant;[1] chemin faisant,[2] j'appris qu'il s'appelait Roger,
qu'il était professeur de danse, d'équitation, d'escrime

et de gymnase au collège de Sarlande, et qu'il avait
servi longtemps dans les chasseurs d'Afrique.[1] Ceci
acheva de me le rendre sympathique. Les enfants sont
toujours portés[2] à aimer les soldats. Nous nous sépa-
râmes à la porte de l'hôtel avec force poignées de main, 5
et la promesse formelle de devenir une paire d'amis.

Et maintenant, lecteur, un aveu me reste à te faire.

Quand le petit Chose se trouva seul dans cette
chambre froide, loin de ceux qu'il aimait, son cœur
éclata, et ce grand philosophe pleura comme un enfant. 10
La vie l'épouvantait à présent; il se sentait faible et
désarmé devant elle, et il pleurait, il pleurait... Tout
à coup, au milieu de ses larmes, l'image des siens[3]
passa devant ses yeux; il vit la maison déserte, la
famille dispersée, la mère ici, le père là-bas... Plus[4] 15
de toit! plus de foyer! et alors, oubliant sa propre
détresse pour ne songer qu'à la misère commune, le
petit Chose prit une grande et belle résolution: celle
de reconstituer la maison Eyssette et de reconstruire
le foyer à lui tout seul.[5] Puis, fier d'avoir trouvé ce 20
noble but à sa vie, il essuya ces larmes indignes d'un
homme, et sans perdre une minute, entama la lecture
du règlement de M. Viot, pour se mettre au courant[6] de
ses nouveaux devoirs.

Ce règlement, recopié de la propre main de M. Viot, 25
son auteur, était un véritable traité, divisé méthodiquement en trois parties:

1° Devoirs du maître d'étude envers ses supérieurs;
2° Devoirs du maître d'étude envers ses collègues;
3° Devoirs du maître d'étude envers les élèves. 30

Tous les cas y étaient prévus, depuis le carreau[7] brisé
jusqu'aux deux mains qui se lèvent en même temps à

l'étude ; tous les détails de la vie des maîtres y étaient
consignés, depuis le chiffre de leurs appointements
jusqu'à la demi-bouteille de vin à laquelle ils avaient
droit à chaque repas.

5 Le règlement se terminait par une belle pièce d'éloquence, un discours sur l'utilité du règlement lui-
même ; mais, malgré son respect pour l'œuvre de M.
Viot, le petit Chose n'eut pas la force d'aller jusqu'au
bout, et, — juste au plus beau passage du discours, —
10 il s'endormit...

Le lendemain, à huit heures, j'arrivai au collège.
M. Viot, debout sur la porte, son trousseau de clefs à
la main, surveillait l'entrée des externes.[1] Il m'accueillit avec son plus doux sourire.

15 — Attendez sous le porche, me dit-il, quand les
élèves seront rentrés, je vous présenterai à vos collègues.

J'attendis sous le porche, me promenant de long en
large, saluant jusqu'à terre MM. les professeurs qui
20 accouraient essoufflés. Un seul de ces messieurs me
rendit mon salut ; c'était un prêtre, le professeur de
philosophie, « un original,» me dit M. Viot... Je
l'aimai tout de suite cet original-là.

La cloche sonna. Les classes se remplirent...
25 Quatre ou cinq grands garçons de vingt-cinq à trente
ans, mal vêtus, arrivèrent en gambadant et s'arrêtèrent interdits à l'aspect de M. Viot.

— Messieurs, leur dit le surveillant général en me
désignant, voici M. Daniel Eyssette, votre nouveau
30 collègue.

Ayant dit, il fit une longue révérence et se retira,
toujours souriant et toujours agitant les horribles clefs.

Mes collègues et moi nous nous regardâmes un moment en silence.

Le plus grand et le plus gros d'entre eux prit le premier la parole; c'était M. Serrières, le fameux Serrières, que j'allais remplacer.

— Parbleu! s'écria-t-il d'un ton joyeux, c'est bien le cas de dire[1] que les maîtres se suivent, mais ne se ressemblent pas.[2]

Ceci était une allusion à la prodigieuse différence de taille qui existait entre nous. On en rit beaucoup, beaucoup, moi[3] le premier; mais je vous assure qu'à ce moment-là le petit Chose aurait volontiers vendu son âme au diable pour avoir seulement quelques pouces de plus.

— Ça ne fait rien, ajouta le gros Serrières en me tendant la main; quoiqu'on ne soit pas bâti pour passer sous la même toise, on peut tout de même vider quelques flacons ensemble... Venez avec nous, collègue..., je paye un punch d'adieu[4] au café Barbette.

Sans me laisser le temps de répondre, il prit mon bras sous le sien et m'entraîna dehors.

Le café Barbette, où mes nouveaux collègues me menèrent, était situé sur la place d'armes. Les sous-officiers de la garnison le fréquentaient.

Ceux auxquels Serrières me présenta en arrivant, m'accueillirent avec beaucoup de cordialité. A dire vrai, pourtant, l'arrivée du petit Chose ne fit pas grande sensation, et je fus bien vite oublié, dans le coin de la salle où je m'étais réfugié timidement... Pendant que les verres se remplissaient, le gros Serrières vint s'asseoir à côté de moi.

— Eh bien! collègue, me dit-il, vous voyez qu'il y a

encore de bons moments dans le métier... En somme,
vous êtes bien tombé en venant à Sarlande pour votre
début.   Vous allez avoir l'étude des petits, des gamins
qu'on mène à la baguette.   Il faut voir comme je les
5 ai dressés!   Le principal n'est pas méchant; les collègues sont de bons garçons.[1]

Peu à peu, le petit Chose se sentit moins timide et
il s'amusa bien jusqu'à ce qu'on donna le signal du
départ.   Il était dix heures moins le quart, c'est-à-dire
10 l'heure de retourner au collège.

L'homme aux clefs nous attendait sur la porte.

— Monsieur Serrières, dit-il à mon gros collègue,
vous allez, pour la dernière fois, conduire vos élèves à
l'étude; dès qu'ils seront entrés, M. le principal et moi
15 nous viendrons installer le nouveau maître.

En effet, quelques minutes après, le principal, M.
Viot et le nouveau maître faisaient leur entrée solen-
nelle à l'étude.

Tout le monde se leva.

20 Le principal me présenta aux élèves en un discours
un peu long, mais plein de dignité; puis il se retira
suivi du gros Serrières et de M. Viot.

Un peu troublé, je gravis lentement les degrés de
ma chaire; j'essayai de promener un regard féroce
25 autour de moi, puis, enflant ma voix, je criai entre
deux grands coups secs[2] frappés sur la table:

— Travaillons, messieurs, travaillons!

C'est ainsi que le petit Chose commença sa première
étude.

V

Ceux-là n'étaient pas méchants ; c'étaient les autres.
Ceux-là ne me firent jamais de mal, et moi je les aimais
bien. Je ne les punissais jamais. A quoi bon ? Est-
ce qu'on punit les oiseaux ?... Quant ils pépiaient trop
haut, je n'avais qu'à crier : « Silence ! » Aussitôt ma 5
volière se taisait, — au moins pour cinq minutes.

Quelquefois, quand ils avaient été bien sages, je leur
racontais une histoire... Une histoire !... Quel bonheur ! Vite, vite, on pliait les cahiers, on fermait les
livres ; encriers, règles, porte-plumes, on jetait tout 10
pêle-mêle au fond des pupitres ; puis les bras croisés
sur la table, on ouvrait de grands yeux et on écoutait.
J'avais composé à leur intention[1] cinq ou six petits
contes fantastiques : *les Débuts d'une cigale,*[2] *les In-
fortunes de Jean Lapin,* etc. Alors, comme aujour- 15
d'hui, le bonhomme[3] la Fontaine était mon saint de
prédilection dans le calendrier littéraire, et mes romans
ne faisaient que commenter ses fables ; seulement j'y
mêlais de ma propre histoire. Cela amusait beaucoup
mes petits, et moi aussi cela m'amusait beaucoup. 20
Malheureusement M. Viot n'entendait pas qu'on s'amu-
sât de la sorte.

Trois ou quatre fois par semaine, le terrible homme
aux clefs faisait une tournée d'inspection dans le collège, pour voir si tout s'y passait selon le règlement... 25
Or, un de ces jours-là, il arriva dans notre étude juste
au moment le plus pathétique de l'histoire de Jean
Lapin. En voyant entrer M. Viot toute l'étude tres-

sauta. Les petits, effarés, se regardèrent. Le narrateur s'arrêta court.

Debout devant ma chaire, le souriant M. Viot pro-
menait un long regard d'étonnement sur les pupitres
5 dégarnis. Il ne parlait pas, mais ses clefs s'agitaient
d'un air féroce : « Frinc! frinc! frinc! tas de drôles,
on ne travaille donc plus ici! »

J'essayai, tout tremblant, d'apaiser les terribles clefs.

— Ces messieurs ont beaucoup travaillé ces jours-
10 ci, balbutiai-je... J'ai voulu les récompenser en leur
racontant une petite histoire.

M. Viot ne me répondit pas. Il s'inclina en souriant, fit gronder ses clefs une dernière fois et sortit.

Le soir, à la récréation de quatre heures, il vint
15 vers moi, et me remit, toujours souriant, toujours muet,
le cahier du règlement ouvert à la page 12: *Devoirs
du maître envers les élèves.*

Je compris qu'il ne fallait plus raconter d'histoires
et je n'en racontai plus jamais.

20 Le collège était divisé en trois quartiers très distincts : les grands, les moyens,[1] les petits ; chaque
quartier avait sa cour, son dortoir, son étude. Mes
petits étaient donc à moi, bien à moi. Il me semblait
que j'avais trente-cinq enfants.

25 A part ceux-là, pas un ami. M. Viot avait beau[2] me
sourire, me prendre par le bras aux récréations, me
donner des conseils au sujet du règlement, je ne l'aimais pas, je ne pouvais pas l'aimer ; ses clefs me faisaient trop peur. Le principal, je ne le voyais jamais.
30 Les professeurs méprisaient le petit Chose. Quant à
mes collègues, la sympathie que l'homme aux clefs
paraissait me témoigner me les avait aliénés.

Devant cette antipathie universelle, j'avais pris bravement mon parti. Le maître des moyens partageait avec moi une petite chambre, au troisième étage, sous les combles : c'est là que je me réfugiais pendant les heures de classe. Comme mon collègue passait tout son temps au café Barbette, la chambre m'appartenait ; c'était ma chambre, mon chez-moi.

A peine rentré, je m'enfermais à double tour, je traînais ma malle, — il n'y avait pas de chaises dans ma chambre, — devant un vieux bureau criblé de taches d'encre et d'inscriptions au canif, j'étalais dessus tous mes livres, et à l'ouvrage !...

Le petit Chose travaillait, travaillait sans relâche, se bourrant de grec et de latin à faire sauter sa cervelle.[1] L'important pour le quart d'heure[2] était de faire beaucoup de thèmes grecs, de passer licencié,[3] d'être nommé professeur, et de reconstruire au plus vite un beau foyer tout neuf pour la famille Eyssette.

Cette pensée que je travaillais pour la famille me donnait un grand courage et me rendait la vie plus douce. Ma chambre elle-même en était embellie... Oh ! mansarde, chère mansarde, quelles belles heures j'ai passées entre tes quatre murs ! Comme j'y travaillais bien ! Comme je m'y sentais brave !...

Si j'avais quelques bonnes heures, j'en avais de mauvaises aussi. Deux fois par semaine, le dimanche et le jeudi, il fallait mener les enfants en promenade. Cette promenade était un supplice pour moi.

D'habitude nous allions à la *Prairie,* une grande pelouse qui s'étend comme un tapis au pied de la montagne, à une demi-lieue de la ville. Quelques gros châtaigniers, trois ou quatre guinguettes peintes en

jaune, une source vive courant dans le vert, faisaient
l'endroit charmant et gai pour l'œil...

Il aurait fait si bon s'étendre sur cette herbe verte,
dans l'ombre des châtaigniers, et se griser de serpolet,
5 en écoutant chanter la petite source!... Au lieu de
cela, il fallait surveiller, crier, punir... J'avais tout le
collège sur les bras.[1] C'était terrible...

Mais le plus terrible encore, ce n'était pas de surveiller les élèves à la Prairie, c'était de traverser la
10 ville avec ma division, la division des petits. Les
autres divisions emboîtaient le pas[2] à merveille et sonnaient des talons[3] comme de vieux grognards![4] Mes
petits, eux, n'entendaient rien à toutes ces belles choses.
Ils n'allaient pas en rang, se tenaient par la main et
15 jacassaient le long de la route. J'avais beau leur crier:
« Gardez vos distances! » ils ne me comprenaient pas
et marchaient tout de travers.

Parmi tous ces diablotins ébouriffés[5] que je prome-
nais deux fois par semaine dans la ville, il y en avait
20 un surtout qui me désespérait par sa laideur et sa mauvaise tenue.

Pour ma part, je l'avais pris en aversion; et quand
je le voyais, les jours de promenade, se dandiner à la
queue de la colonne avec la grâce d'un jeune canard,
25 il me venait des envies furieuses de le chasser à grands
coups de botte pour l'honneur de ma division.

Bamban,[6]—nous l'avions surnommé Bamban à cause
de sa démarche plus qu'irrégulière, — Bamban était
loin d'appartenir à une famille aristocratique. Cela
30 se voyait sans peine à ses manières, à ses façons de
dire et surtout aux belles relations[7] qu'il avait dans le
pays.

Tous les gamins de Sarlande étaient ses amis. Grâce à lui, quand nous sortions, nous avions toujours à nos trousses une nuée de polissons qui appelaient Bamban par son nom, le montraient au doigt, lui jetaient des peaux de châtaignes, et mille autres bonnes singeries. Mes petits s'en amusaient beaucoup, mais moi, je ne riais pas, et j'adressais chaque semaine au principal un rapport circonstancié sur l'élève Bamban et les nombreux désordres que sa présence entraînait.

Malheureusement mes rapports restaient sans réponse et j'étais toujours obligé de me montrer dans les rues, en compagnie de M. Bamban, plus sale et plus bancal que jamais.

Un dimanche entre autres, il m'arriva pour la promenade dans un état de toilette tel que nous en fûmes tous épouvantés. Des mains noires, des souliers sans cordons, de la boue jusque dans les cheveux, presque plus de culottes..., un monstre.

Le plus risible, c'est qu'évidemment on l'avait fait très beau, ce jour-là, avant de me l'envoyer. Sa tête, mieux peignée qu'à l'ordinaire, était encore roide de pommade, et le nœud de cravate avait je ne sais quoi qui sentait[1] les doigts maternels. Mais il y a tant de ruisseaux avant d'arriver au collège! Bamban s'était roulé dans tous.

Quand je le vis prendre son rang parmi les autres, j'eus un mouvement d'horreur et d'indignation. Je lui criai: « Va-t'en! » Bamban pensa que je plaisantais et continua de sourire. Il se croyait très beau, ce jour-là!

Je lui criai de nouveau: « Va-t'en! va-t'en! »

Il me regarda d'un air triste et soumis, son œil suppliait; mais je fus inexorable et la division s'ébranla, le laissant seul, immobile au milieu de la rue.

Je me croyais délivré de lui pour toute la journée, lorsqu'au sortir de la ville des rires et des chuchote-
5 ments à mon arrière-garde me firent retourner la tête.

A quatre ou cinq pas derrière nous, Bamban suivait la promenade gravement.

— Doublez le pas,[1] dis-je aux deux premiers.

Les élèves comprirent qu'il s'agissait de faire une
10 niche[2] au bancal, et la division se mit à filer d'un train d'enfer.[3]

De temps en temps on se retournait pour voir si Bamban pouvait suivre, et on riait de l'apercevoir là-bas, bien loin, gros comme le poing, trottant dans la
15 poussière de la route, au milieu des marchands de gâteaux et de limonade.

Cet enragé-là arriva à la Prairie presque en même temps que nous. Seulement il était pâle de fatigue et tirait la jambe à faire pitié.

20 J'en eus le cœur touché, et, un peu honteux de ma cruauté, je l'appelai près de moi doucement.

Bamban s'était assis par terre à cause de ses jambes qui lui faisaient mal. Je m'assis près de lui. Je lui parlai... Je lui achetai une orange... J'aurais voulu
25 lui laver les pieds.

A partir de ce jour, Bamban devint mon ami. J'appris sur son compte des choses attendrissantes...

C'était le fils d'un maréchal-ferrant qui, entendant vanter partout les bienfaits de l'éducation, se saignait
30 les quatre membres,[4] le pauvre homme! pour envoyer son enfant au collège. Mais, hélas! Bamban n'était pas fait pour le collège, et il n'y profitait guère.

Personne ne s'occupait de lui.   Il ne faisait spécialement partie d'aucune classe ; en général, il entrait dans
celle qu'il voyait ouverte.

Bamban travaillait de meilleur cœur maintenant que
nous étions amis... Je crois que je serais venu à bout 5
de lui apprendre quelque chose ; malheureusement, la
destinée nous sépara.   Le maître des moyens quittait
le collège.   Comme la fin de l'année était proche, le
principal ne voulut pas prendre un nouveau maître, et
c'est moi qui fus chargé de l'étude des moyens.   10

Je considérai cela comme une catastrophe.

D'abord les moyens m'épouvantaient.   Je les avais
vus à l'œuvre les jours de *Prairie,* et la pensée que
j'allais vivre sans cesse avec eux me serrait le cœur.

Puis il fallait quitter mes petits, mes chers petits 15
que j'aimais tant... J'étais réellement malheureux.

Et mes petits aussi se désolaient de me voir partir.

Le jour où je leur fis ma dernière étude, il y eut un
moment d'émotion quand la cloche sonna... Ils vou-
lurent tous m'embrasser... Quelques-uns, même, je 20
vous assure, trouvèrent des choses charmantes à me dire.

Je pris donc possession de l'étude des moyens.

Je trouvai là une cinquantaine de méchants drôles,
montagnards joufflus de douze à quatorze ans, fils de
métayers enrichis, que leurs parents envoyaient au col- 25
lège pour en faire de petits bourgeois, à raison[1] de
cent vingt francs par trimestre.

Grossiers, insolents, orgueilleux, ils me haïrent tout
de suite, sans me connaître.   J'étais pour eux l'ennemi,
le Pion ;[2] et du jour où je m'assis dans ma chaire, ce 30
fut la guerre entre nous, une guerre acharnée, sans
trêve, de tous les instants.

Ah! les cruels enfants, comme ils me firent souffrir!... Je voudrais en parler sans rancune, ces tristesses sont si loin de nous!... Eh bien! non, je ne
puis pas; et tenez! à l'heure même où j'écris ces
5 lignes, je sens ma main qui tremble de fièvre et
d'émotion. Il me semble que j'y suis encore.

C'est si terrible de vivre entouré de malveillance,
d'avoir toujours peur, d'être toujours sur le qui-vive,
toujours méchant, toujours armé, c'est si terrible de
10 punir, — on fait des injustices malgré soi, — si terrible de douter, de voir partout des pièges, de ne pas
manger tranquille, de ne pas dormir en repos, de se
dire toujours, même aux minutes de trêve: « Ah!
mon Dieu!... Qu'est-ce qu'ils vont me faire mainte-
15 nant? »

Non, vivrait-il cent ans, le pion Daniel Eyssette
n'oubliera jamais tout ce qu'il souffrit au collège de
Sarlande, depuis le triste jour où il entra dans l'étude
des moyens.

20 Et pourtant, — je ne veux pas mentir, — j'avais
gagné quelque chose à changer d'étude: maintenant
j'avais l'abbé Germane que j'aimais bien...

Cet abbé Germane était le professeur de philosophie.
Il passait pour un original, et dans le collège tout le
25 monde le craignait, même le principal, même M. Viot.
Il parlait peu, d'une voix brève et cassante, nous
tutoyait tous, marchait à grands pas, la tête en arrière, la soutane[1] relevée, faisant sonner, — comme un
dragon, — les talons de ses souliers à boucles. Il était
30 grand et fort.

L'abbé vivait sombre et seul, dans une petite chambre qu'il occupait à l'extrémité de la maison, ce qu'on

appelait le Vieux-Collège.   Personne n'entrait jamais
chez lui, excepté ses deux frères, deux méchants vau-
riens qui étaient dans mon étude et dont il payait
l'éducation... Le soir, quand on traversait les cours
pour monter au dortoir, on apercevait, là-haut, dans les   5
bâtiments noirs et ruinés du vieux collège, une petite
lueur pâle qui veillait : c'était la lampe de l'abbé Germane.   Bien des fois aussi, le matin, en descendant
pour l'étude de six heures, je voyais, à travers la
brume, la lampe brûler encore ; l'abbé Germane ne   10
s'était pas couché... On disait qu'il travaillait à un
grand ouvrage de philosophie.

Pour ma part, même avant de le connaître, je me
sentais une grande sympathie pour cet étrange abbé.
Son visage, tout resplendissant d'intelligence, m'atti-   15
rait.   Seulement on m'avait tant effrayé par le récit
de ses bizarreries et de ses brutalités, que je n'osais
pas aller vers lui. J'y allai cependant, et pour mon
bonheur.

Voici dans quelles circonstances... ·   20

Il faut vous dire qu'en ce temps-là j'étais plongé
jusqu'au cou dans l'histoire de la philosophie... Un
rude travail pour le petit Chose !

Or, certain jour, l'envie me vint de lire Condillac.[1]
Entre nous, le bonhomme ne vaut même pas la peine   25
qu'on le lise ; mais, vous savez ! quand on est jeune,
on a sur les choses et sur les hommes des idées tout
de travers.

Je voulais donc lire Condillac.   Il me fallait un
Condillac coûte que coûte.[2]   Malheureusement, la   30
bibliothèque du collège en était absolument dépour-
vue, et les libraires de Sarlande ne tenaient pas cet

article-là. Je résolus de m'adresser à l'abbé Germane.
Mais ce diable d'homme m'épouvantait, et pour me
décider à monter à son réduit ce n'était pas trop de
tout mon amour[1] pour M. de Condillac.

5 En arrivant devant la porte, mes jambes tremblaient
de peur... Je frappai deux fois très doucement...

— Entrez! répondit une voix de Titan.

Le terrible abbé Germane était assis à califourchon
sur une chaise basse, les jambes étendues. Accoudé
10 sur le dossier de sa chaise, il lisait un in-folio à tran-
ches rouges, et fumait à grand bruit une petite pipe
courte et brune.

— C'est toi! me dit-il en levant à peine les yeux de
dessus son in-folio... Bonjour! Comment vas-tu?...
15 Qu'est-ce que tu veux?

Le tranchant de sa voix, l'aspect sévère de cette
chambre tapissée de livres, la façon cavalière dont il
était assis, cette petite pipe qu'il tenait aux dents, tout
cela m'intimidait beaucoup.

20 Je parvins cependant à expliquer tant bien que mal[2]
l'objet de ma visite et à demander le fameux Condillac.

— Condillac! tu veux lire Condillac! me répondit
l'abbé Germane en souriant. Quelle drôle d'idée!...
Est-ce que tu n'aimerais pas mieux fumer une pipe
25 avec moi! décroche-moi ce joli calumet qui est pendu
là-bas, contre la muraille, et allume-le...; tu verras,
c'est bien meilleur que tous les Condillac de la terre.

Je m'excusai du geste,[3] en rougissant.

— Tu ne veux pas?... A ton aise,[3] mon garçon...
30 Ton Condillac est là-haut, sur le troisième rayon à
gauche...tu peux l'emporter; je te le prête. Surtout
ne le gâte pas, ou je te coupe les oreilles.

J'atteignis le Condillac sur le troisième rayon à gauche, et je me disposais à me retirer; mais l'abbé me retint.

— Tu t'occupes donc de philosophie? me dit-il en me regardant dans les yeux... Est-ce que tu y croirais, par hasard?... Des histoires,[1] mon cher, de pures histoires!... Et dire qu'ils ont voulu faire de moi un professeur de philosophie!... Enseigner quoi? zéro, néant... Ils auraient pu tout aussi bien, pendant qu'ils y étaient, me nommer inspecteur général des étoiles ou contrôleur de fumées de pipe... Ah! misère de moi![2] Il faut faire parfois de singuliers métiers pour gagner sa vie... Tu en connais quelque chose, toi aussi, n'est-ce pas?... Oh! tu n'as pas besoin de rougir. Je sais que tu n'es pas heureux, mon pauvre petit pion, et que les enfants te font une rude existence.

Ici l'abbé Germane s'interrompit un moment. Il paraissait très en colère et secouait sa pipe sur son ongle avec fureur. Moi, d'entendre ce digne homme s'apitoyer ainsi sur mon sort, je me sentais tout ému, et j'avais mis le Condillac devant mes yeux, pour dissimuler les grosses larmes dont ils étaient remplis.

Presque aussitôt l'abbé reprit:

— A propos! j'oubliais de te demander... Aimes-tu le bon Dieu?... Il faut l'aimer, vois-tu! mon cher, et avoir confiance en lui, et le prier ferme; sans quoi tu ne t'en tireras[3] jamais... Aux grandes souffrances de la vie, je ne connais que trois remèdes: le travail, la prière et la pipe, la pipe de terre, très courte, souviens-toi de cela... Quant aux philosophes, n'y compte pas; ils ne te consoleront jamais de rien. J'ai passé par là, tu peux m'en croire.

— Je vous crois, monsieur l'abbé.

— Maintenant, va-t'en, tu me fatigues... Quand
tu voudras des livres, tu n'auras qu'à venir en prendre.
La clef de ma chambre est toujours sur la porte, et les
5 philosophes toujours sur le troisième rayon à gauche... Ne me parle plus... Adieu!

Là-dessus, il se remit à sa lecture et me laissa sortir,
sans même me regarder.

A partir de ce jour, j'eus tous les philosophes de
10 l'univers à ma disposition, j'entrais chez l'abbé Germane sans frapper, comme chez moi. Le plus souvent,
aux heures où je venais, l'abbé faisait sa classe, et la
chambre était vide. Jusqu'à la fin de l'année, nous
n'échangeâmes pas vingt paroles; mais n'importe!
15 quelque chose en moi-même m'avertissait que nous
étions de grands amis...

Cependant les vacances approchaient. Le soir, à la
dernière étude, on voyait sortir des pupitres une foule
de petits calendriers, et chaque enfant rayait sur le
20 sien le jour qui venait de finir: « Encore un de
moins! » Les cours étaient pleines de planches pour
l'estrade; plus[1] de travail, plus de discipline. Seulement, toujours, jusqu'au bout, la haine du pion et les
farces, les terribles farces.

25 Enfin, le grand jour arriva. Il était temps; je n'y
pouvais plus tenir.

On distribua les prix dans ma cour, la cour des
moyens...je la vois encore avec sa tente bariolée.
Au fond, une longue estrade où étaient installées les
30 autorités du collège dans des fauteuils en velours.

L'abbé Germane était sur l'estrade, lui aussi, mais
il ne paraissait pas s'en douter. Allongé dans son

fauteuil, la tête renversée, il écoutait ses voisins d'une oreille distraite et semblait suivre de l'œil, à travers le feuillage, la fumée d'une pipe imaginaire...

Aux pieds de l'estrade, la musique, trombones et ophicléides, reluisant au soleil; les trois divisions entassées sur des bancs, avec les maîtres en serre-file; puis, derrière, la cohue des parents, et enfin, perdues au milieu de la foule, les clefs de M. Viot qui couraient d'un bout de la cour à l'autre et qu'on entendait, — frinc! frinc! frinc! — à droite, à gauche, ici, partout en même temps.

La cérémonie commença, il faisait chaud. Pas d'air sous la tente. Tout était rouge: les visages, les tapis, les drapeaux, les fauteuils... Nous eûmes trois discours, qu'on applaudit beaucoup; mais moi, je ne les entendis pas.

Quand le dernier nom du dernier accessit[1] de la dernière classe eut été proclamé, la musique entama une marche triomphale et tout se débanda. Les professeurs descendaient de l'estrade; les élèves sautaient par-dessus les bancs pour rejoindre leurs familles. On s'embrassait, on s'appelait: « Par ici! par ici! » Immobile derrière un arbre, le petit Chose regardait passer les belles dames, tout malingre et tout honteux dans son habit râpé.

Les enfants franchissaient l'escalier d'un bond. Heureux enfants! ils s'en allaient, ils partaient tous... Ah! si j'avais pu partir moi aussi...

VI

Maintenant le collège est désert. Tout le monde est parti... D'un bout des dortoirs à l'autre, des escadrons de gros rats font des charges de cavalerie en plein jour. Les écritoires se déssèchent au fond des pupitres. Sur les arbres des cours, la division des moineaux est en fête; ces messieurs ont invité tous leurs camarades de la ville, et, du matin jusqu'au soir, c'est un pépiage assourdissant.

De sa chambre, sous les combles, le petit Chose les écoute en travaillant. On l'a gardé par charité, dans la maison, pendant les vacances. Il en profite pour étudier à mort les philosophes grecs.

Travaille donc, Daniel Eyssette!... Il faut reconstruire le foyer... Mais non! il ne peut pas... Les lettres de son livre dansent devant ses yeux; puis, ce livre qui tourne, puis la table, puis la chambre. Pour chasser cet étrange assoupissement le petit Chose se lève, fait quelques pas; arrivé devant la porte, il chancelle et tombe à terre comme une masse, foudroyé par le sommeil.

Le petit Chose fait un rêve singulier; il lui semble qu'on frappe à la porte de sa chambre, et qu'une voix éclatante l'appelle par son nom, « Daniel, Daniel!...» Cette voix, il la reconnaît. C'est du même ton qu'elle criait autrefois: « Jacques tu es un âne! »

Les coups redoublent à la porte: « Daniel, mon Daniel, c'est ton père, ouvre vite.»

Oh! l'affreux cauchemar. Le petit Chose veut ré-

pondre, aller ouvrir. Il se redresse sur son coude :
mais sa tête est trop lourde, il retombe et perd connaissance...

Quand le petit Chose revient à lui, il est tout étonné
de se trouver dans une couchette bien blanche, en- 5
tourée de grands rideaux bleus qui font de l'ombre
tout autour... Lumière douce, chambre tranquille...
Le petit Chose ne sait pas où il est ; mais il se trouve
très bien. Les rideaux s'entr'ouvrent. M. Eyssette
père, une tasse à la main, se penche vers lui avec un 10
bon sourire et des larmes plein[1] les yeux. Le petit
Chose croit continuer son rêve.

— Est-ce vous, père ? Est-ce bien vous ?

— Oui, mon Daniel ; oui, mon cher enfant, c'est moi.

— Où suis-je donc ? 15

— A l'infirmerie, depuis huit jours... ; maintenant
tu es guéri, mais tu as été bien malade...

— Mais vous, mon père, comment êtes-vous là ?
Embrassez-moi donc encore !... Oh ! tenez ! de vous
voir, il me semble que je rêve toujours. 20

M. Eyssette père l'embrasse :

— Allons ! couvre-toi, sois sage... Le médecin ne
veut pas que tu parles.

Et pour empêcher l'enfant de parler, le brave homme
parle tout le temps. 25

— Figure-toi qu'il y a huit jours, la Compagnie
vinicole m'envoie faire une tournée dans les Cévennes.
Tu penses si j'étais content : une occasion de voir mon
Daniel ! J'arrive au Collège... On t'appelle, on te
cherche... Pas de Daniel. Je me fais conduire à ta 30
chambre : la clef était en dedans... Je frappe : personne. Vlan ! j'enfonce la porte d'un coup de pied,

et je te trouve là, par terre, avec une fièvre de
cheval[1]... Ah! pauvre enfant, comme tu as été malade! Cinq jours de délire! Je ne t'ai pas quitté
d'une minute... Comprends-tu cela! M. Viot, — c'est
5 bien M. Viot, n'est-ce pas? — qui voulait m'empêcher
de coucher dans le collège. Il invoquait le règlement... Ah bien! oui, le règlement! Est-ce que je
le connais, moi, son règlement? Ce cuistre-là croyait
me faire peur en me remuant ses clefs sous le nez. Je
10 l'ai joliment remis à sa place![2]

Le petit Chose frémit de l'audace de M. Eyssette;
puis oubliant bien vite les clefs de M. Viot: « Et ma
mère? » demande-t-il, en étendant ses bras comme si
sa mère était là, à portée de ses caresses.

15   — Si tu te découvres, tu ne sauras rien, répondit M.
Eyssette d'un ton fâché. Voyons! couvre-toi... Ta
mère va bien, elle est chez l'oncle Baptiste.

— Et Jacques?

— Jacques? c'est un âne!... Quand je dis un âne,
20 tu comprends, c'est une façon de parler... Jacques
est un très brave enfant, au contraire... Sa position
est fort jolie. Il pleure toujours, par exemple. Mais,
du reste, il est très content. Son directeur l'a pris
pour secrétaire... Il n'a rien à faire qu'à écrire sous
25 la dictée... Une situation fort agréable...

Oh! bienheureuse infirmerie! Quelles heures
charmantes le petit Chose passe entre les rideaux
bleus de sa couchette!... M. Eyssette ne le quitte
pas; il reste là tout le jour, assis près du chevet,
30 et le petit Chose voudrait que M. Eyssette ne s'en
allât jamais... Hélas! c'est impossible. La Compagnie vinicole a besoin de son voyageur. Il faut

partir, il faut reprendre la tournée des Cévennes...

Après le départ de son père, l'enfant reste seul, tout
seul, dans l'infirmerie silencieuse. Il passe ses journées à lire, au fond d'un grand fauteuil roulé près de 5
la fenêtre.

Pour la première fois depuis six semaines, le petit
Chose descend dans les cours, pâle, maigre, plus petit
Chose que jamais... Tout le collège se réveille. On
le lave du haut en bas. Les corridors ruissellent d'eau. 10
Férocement, comme toujours, les clefs de M. Viot se
démènent. Terrible M. Viot, il a profité des vacances
pour ajouter quelques articles à son règlement et quelques clefs à son trousseau.

Chaque jour, il arrive des élèves... Quelques an- 15
ciens manquent à l'appel, mais des nouveaux les rem-
placent. Les divisions se reforment. Cette année,
comme l'an dernier, le petit Chose aura l'étude des
moyens. Le pauvre pion tremble déjà. Après tout,
qui sait? les enfants seront peut-être moins méchants 20
cette année-ci.

Les jours qui suivirent furent tristes. Personne ne
se sentait en train, ni les maîtres, ni les élèves. On
s'installait... Après deux grands mois de repos, le
collège avait peine à reprendre son va-et-vient habi- 25
tuel. Les rouages fonctionnaient mal, comme ceux
d'une vieille horloge qu'on aurait depuis longtemps
oublié de remonter. Peu à peu, cependant, grâce aux
efforts de M. Viot, tout se régularisa. Chaque jour,
aux mêmes heures, au son de la même cloche, on vit 30
de petites portes s'ouvrir dans les cours et des litanies[1]
d'enfants, roides comme des soldats de bois, défiler

deux par deux sous les arbres ; puis la cloche sonnait
encore, — ding ! dong ! — et les mêmes enfants repas-
saient par les mêmes petites portes ! Ding ! dong !
Levez-vous. Ding ! dong ! Couchez-vous. Ding !
5 dong ! Instruisez-vous ! Ding ! dong. Amusez-vous.
Et cela pour toute l'année.

Moi seul, je faisais ombre¹ à cet adorable tableau.
Mon étude ne marchait pas. Les terribles *moyens*
m'étaient revenus de leurs montagnes, plus laids, plus
10 âpres, plus féroces que jamais. De mon côté, j'étais
aigri ; la maladie m'avait rendu nerveux et irritable ; je
ne pouvais plus rien supporter... Trop doux l'année
précédente, je fus trop sévère cette année... J'espérais ainsi mater ces méchants drôles, et, pour la moin-
15 dre incartade, je foudroyais toute l'étude de pensums²
et de retenues...

J'étais très malheureux. Les maîtres, mes collègues, se moquaient de moi. Le principal, quand je
le rencontrais, me faisait mauvais accueil... Pour
20 m'achever, survint l'affaire Boucoyran.

Oh ! cette affaire Boucoyran ! Je suis sûr qu'elle
est restée dans les annales du collège et que les Sar-
landais³ en parlent encore aujourd'hui... Moi aussi,
je veux en parler de cette terrible affaire. Il est
25 temps que le public sache la vérité...

Quinze ans, de gros pieds, de gros yeux, de grosses
mains, pas de front, et l'allure d'un valet de ferme :
tel était M. le marquis de Boucoyran, terreur de la
cour des moyens et seul échantillon de la noblesse
30 cévenole au collège de Sarlande. Le principal tenait
beaucoup à cet élève, en considération du vernis aristocratique que sa présence donnait à l'établissement.

Dans le collège, on ne l'appelait que « le marquis.»
Tout le monde le craignait; moi-même je subissais
l'influence générale et je ne lui parlais qu'avec des
ménagements.[1]

Pendant quelque temps, nous vécûmes en assez bons 5
termes.

Un jour cependant, ce faquin de marquis se permit
de répliquer, en pleine étude, avec une insolence telle
que je perdis toute patience.

— Monsieur de Boucoyran, lui dis-je en essayant de 10
garder mon sang-froid, prenez vos livres et sortez sur-
le-champ.

C'était un acte d'autorité inouï pour ce drôle. Il en
resta stupéfait et me regarda, sans bouger de sa place,
avec de gros yeux.   15

Je compris que je m'engageais dans une méchante
affaire, mais j'étais trop avancé pour reculer.

— Sortez, monsieur de Boucoyran!... commandai-
je de nouveau.

Les élèves attendaient, anxieux... Pour la première 20
fois, j'avais du silence.

A ma seconde injonction, le marquis, revenu de sa
surprise, me répondit, il fallait voir de quel air: —
« Je ne sortirai pas! »

Il y eut parmi toute l'étude un murmure d'admira- 25
tion. Je me levai dans ma chaire, indigné.

— Vous ne sortirez pas, monsieur?... C'est ce que
nous allons voir.

Et je descendis...

Dieu m'est témoin qu'à ce moment-là toute idée de 30
violence était bien loin de moi; je voulais seulement
intimider le marquis par la fermeté de mon attitude;

mais, en me voyant descendre de ma chaire, il se mit
à ricaner d'une façon si méprisante, que j'eus le geste
de le prendre au collet pour le faire sortir de son
banc...

5   Le misérable tenait cachée sous sa tunique une
énorme règle en fer. A peine eus-je levé la main, qu'il
m'assena sur le bras un coup terrible. La douleur
m'arracha un cri.

Toute l'étude battit des mains.

10   — Bravo, marquis!

Pour le coup, je perdis la tête. D'un bond, je fus
sur la table, d'un autre, sur le marquis; et alors, le
prenant à la gorge, je fis si bien, des pieds, des poings,
des dents, de tout, que je l'arrachai de sa place et
15 qu'il s'en alla rouler hors de l'étude, jusqu'au milieu
de la cour... Ce fut l'affaire d'une seconde; je ne
me serais jamais cru tant de vigueur.

Les élèves étaient consternés. On ne criait plus:
« Bravo, marquis! » On avait peur. Boucoyran, le
20 fort des forts, mis à la raison[1] par ce gringalet de
pion! Quelle aventure!... Je venais de gagner en
autorité ce que le marquis venait de perdre en pres-
tige.

Quand je remontai dans ma chaire, pâle encore et
25 tremblant d'émotion, tous les visages se penchèrent
vivement sur les pupitres. L'étude était matée. Mais
le principal, M. Viot, qu'allaient-ils penser de cette
affaire? Comment! j'avais osé lever la main sur un
élève! sur le marquis de Boucoyran! sur le noble du
30 collège! Je voulais donc me faire chasser!

Le principal était furieux; et, s'il ne me renvoya
pas, je ne le dus qu'à la protection du recteur...

Hélas! il eût mieux valu pour moi être renvoyé tout
de suite. Ma vie dans le collège était devenue impossible. Les enfants ne m'écoutaient plus; au moindre
mot, ils me menaçaient d'aller se plaindre à leur père.
Je finis par ne plus m'occuper d'eux.   5

VII

L'hiver était venu, un hiver sec, terrible et noir,
comme il en fait dans ces pays de montagnes. Avec
leurs grands arbres sans feuilles et leur sol gelé plus
dur que la pierre, les cours du collège étaient tristes à
voir.   10

Un jour, le 18 février, comme il était tombé beaucoup de neige pendant la nuit, les enfants n'avaient
pas pu jouer dans les cours. Aussitôt l'étude du matin
finie, on les avait casernés tous pêle-mêle dans *la salle*,
pour y prendre leur récréation à l'abri du mauvais 15
temps, en attendant l'heure des classes.

C'était moi qui les surveillais.

Ce qu'on appelait *la salle* était l'ancien gymnase du
collège de la Marine. Les enfants avaient l'air de
s'amuser beaucoup là dedans. Ils couraient tout au- 20
tour de la salle bruyamment, en faisant de la poussière. Quelques-uns essayaient d'atteindre un énorme
anneau en fer qui pendait au milieu; d'autres, sus-
pendus par les mains, criaient; cinq ou six, de tempérament plus calme, mangeaient leur pain devant les 25
fenêtres, en regardant la neige qui remplissait les rues
et les hommes armés de pelles qui l'emportaient dans
des tombereaux.

Mais tout ce tapage, je ne l'entendais pas.

Seul, dans un coin, les larmes aux yeux, je lisais une lettre, et les enfants[1] auraient à cet instant démoli le gymnase de fond en comble, que je ne m'en fusse pas aperçu. C'était une lettre de Jacques que je venais de recevoir; elle portait le timbre de Paris, — mon Dieu! oui, de Paris, — et voici ce qu'elle disait:

« Cher Daniel,

« Ma lettre va bien te surprendre. Tu ne te doutais[2] pas, hein? que je fusse à Paris depuis quinze jours. J'ai quitté Lyon sans rien dire à personne, un coup de tête[3]... — Que veux-tu?[4] je m'ennuyais trop dans cette horrible ville, surtout depuis ton départ.

« Je suis arrivé ici avec trente francs et cinq ou six lettres de M. le curé de Saint-Nizier. Heureusement la Providence m'a protégé tout de suite, et m'a fait rencontrer un vieux marquis chez lequel je suis entré comme secrétaire.

« Ah! mon cher Daniel, la jolie ville que ce Paris! Ici, — du moins, — il ne fait pas toujours du brouillard; il pleut bien quelquefois, mais c'est une petite pluie gaie, mêlée de soleil et comme je n'en ai jamais vu ailleurs. Aussi je suis tout changé; si tu savais! je ne pleure plus du tout, c'est incroyable.»

J'en étais là de la lettre, quand tout à coup, sous les fenêtres, retentit le bruit sourd d'une voiture roulant dans la neige. La voiture s'arrêta devant la porte du collège, et j'entendis les enfants crier à tue-tête: « Le sous-préfet! le sous-préfet!»

Une visite de M. le sous-préfet présageait évidemment quelque chose d'extraordinaire. Mais pour le

quart d'heure,[1] ce qui m'intéressait avant tout, c'était
la lettre de mon frère Jacques.   Aussi, tandis que les
élèves, mis en gaieté, se culbutaient devant les fenêtres
pour voir M. le sous-préfet descendre de voiture, je
retournai dans mon coin, et je me remis à lire.   5

« Tu sauras, mon bon Daniel, que notre père est en
Bretagne,[2] où il fait le commerce du cidre pour le
compte d'une compagnie.   Quant à maman, tu sais
qu'elle est seule maintenant.   Tu devrais bien lui
écrire, elle se plaint de ton silence.   10

« J'avais oublié de te dire une chose qui, certainement, te fera le plus grand plaisir : J'ai ma chambre
au Quartier Latin[3]...au Quartier Latin ! pense un
peu ![4]...une vraie chambre de poète, comme dans les
romans, avec une petite fenêtre et des toits à perte   15
de vue.   Le lit n'est pas large, mais nous y tien-
drons deux au besoin ; et puis, il y a dans un coin
une table de travail où on serait très bien pour faire
des vers.

« Je suis sûr que si tu voyais cela, tu voudrais venir   20
me trouver au plus vite ; moi aussi je te voudrais près
de moi, et je ne te dis pas que quelque jour je ne te
ferai pas signe de venir.

« Je t'embrasse. Ton frère,

                                   JACQUES. »   25

A ce moment, la cloche sonna.   Mes élèves se
mirent en rang, ils causaient beaucoup du sous-préfet
et se montraient en passant sa voiture stationnant
devant la porte.   Je les remis entre les mains des
professeurs, puis, une fois débarrassé d'eux, je m'é-   30
lançai en courant dans l'escalier.   Il me tardait tant

d'être seul dans ma chambre avec la lettre de mon
frère Jacques!

— Monsieur Daniel, on vous attend chez le principal!

5　Chez le principal?... Que pouvait avoir à me dire
le principal?... Tout à coup, l'idée du sous-préfet
me revint.

— Est-ce que M. le sous-préfet est là-haut? demandai-je.

10　Et le cœur palpitant d'espoir je me mis à gravir
les degrés de l'escalier quatre à quatre.[1]

Il y a des jours où l'on est comme fou. En appre-
nant que le sous-préfet m'attendait, savez-vous ce que
je m'imaginai? Je m'imaginai qu'il avait remarqué ma
15　bonne mine à la distribution, et qu'il venait au collège
tout exprès pour m'offrir d'être son secrétaire. Cela
me paraissait la chose la plus naturelle du monde. La
lettre de Jacques avec ses histoires de vieux marquis
m'avait troublé la cervelle, à coup sûr.

20　Quoi qu'il en soit, à mesure que je montais l'escalier, ma certitude devenait plus grande: secrétaire du
sous-préfet; je ne me sentais[1] pas de joie...

Quand j'arrivai devant le cabinet du principal, le
cœur me battait bien fort, je vous jure. Secrétaire de
25　M. le sous-préfet! Il fallut m'arrêter un instant pour
reprendre haleine; je rajustai ma cravate, je donnai
avec mes doigts un petit tour à mes cheveux, et je
tournai le bouton de la porte doucement.

Dès que j'entrai, le sous-préfet prit la parole.

30　— C'est donc Monsieur, dit-il en me désignant, qui
veut se battre avec un honorable citoyen?

Il avait prononcé cette phrase d'une voix claire, iro-

nique et sans cesser de sourire. Je crus d'abord qu'il
voulait plaisanter et je ne répondis rien, mais le sous-
préfet ne plaisantait pas; après un moment de silence,
il reprit en souriant toujours:

— N'est-ce pas à monsieur Daniel Eyssette que j'ai 5
l'honneur de parler, à monsieur Daniel Eyssette qui a
dit qu'il se battrait en duel avec M. Boucoyran?

Je ne savais de quoi il s'agissait, mais il paraît qu'on
lui avait dit quelque chose comme cela sur mon compte.
J'étais tellement intimidé que je ne pouvais dire un 10
mot.

Quand le sous-préfet vit que je ne répondais pas, il
se tourna vers le principal et son acolyte:

— Maintenant, messieurs, vous savez ce qui vous
reste à faire. 15

Sur quoi les clefs de M. Viot frétillèrent d'un air
lugubre, et le principal répondit en s'inclinant jusqu'à
terre, « que M. Eyssette avait mérité d'être chassé sur
l'heure; mais qu'afin d'éviter tout scandale, on le gar-
derait au collège encore huit jours.» Juste le temps 20
de faire venir un nouveau maître.

A ce terrible mot « chassé,» tout mon courage m'a-
bandonna. Je saluai sans rien dire et je sortis précipitamment. A peine dehors, mes larmes éclatèrent...
Je courus d'un trait[1] jusqu'à ma chambre, en étouffant 25
mes sanglots dans mon mouchoir...

Je serais resté là jusqu'au lendemain peut-être, pleurant et n'ayant pas la force de penser, quand tout à
coup j'entendis une cloche sonner. C'était la cloche
du collège. J'avais tout oublié; cette cloche me rap- 30
pela à la vie: il me fallait surveiller la récréation des
élèves dans la *salle*... En pensant à la *salle*, une idée

subite me vint.   Sur-le-champ mes larmes s'arrêtèrent ;
je me sentis plus fort, plus calme.   J'avais pris une
irrévocable décision.

Si vous voulez savoir quelle irrévocable décision
5 vient de prendre le petit Chose, suivez-le dans *la salle*
pendant la récréation, et remarquez avec quelle singulière persistance il regarde le gros anneau de fer
qui se balance au milieu ; la récréation finie, suivez-le
encore jusqu'à l'étude, montez avec lui dans sa chaire,
10 et lisez par-dessus son épaule cette lettre douloureuse
qu'il est en train d'écrire au milieu du vacarme et des
enfants ameutés :

«*Monsieur Jacques Eyssette, rue Bonaparte,*
à Paris.

15   « Pardonne-moi, mon bien-aimé Jacques, la douleur
que je viens te causer.   Toi qui ne pleurais plus, je
vais te faire pleurer encore une fois ; ce sera la dernière, par exemple... Quand tu recevras cette lettre,
ton pauvre Daniel sera mort...»

20   Ici, le vacarme de l'étude redouble ; le petit Chose
s'interrompt et distribue quelques punitions de droite
et de gauche, mais gravement, sans colère.   Puis il
continue :

« Vois-tu ? Jacques, j'étais trop malheureux.   Je ne
25 pouvais pas faire autrement que de me tuer.   Mon
avenir est perdu : on m'a chassé du collège : — c'est
pour des choses trop longues à te raconter ; puis, j'ai
fait des dettes, je ne sais plus travailler, j'ai honte, je
m'ennuie, j'ai le dégoût, la vie me fait peur... J'aime
30 mieux m'en aller...

« Adieu, Jacques !   J'en aurais encore long à te dire,

mais je sens que je vais pleurer, et les élèves me re-
gardent. Dis à maman que j'ai glissé du haut d'un
rocher, en promenade, ou bien que je me suis noyé, en
patinant. Enfin, invente une histoire, mais que la
pauvre femme ignore toujours la vérité!... Em- 5
brasse-la bien pour moi, cette chère mère; embrasse
aussi notre père, et tâche de leur reconstruire vite un
beau foyer... Adieu! je t'aime. Souviens-toi de
Daniel.»

Cette lettre terminée, le petit Chose en commence 10
tout de suite une autre ainsi conçue:

« Monsieur l'abbé, je vous prie de faire parvenir à
mon frère Jacques la lettre que je laisse pour lui. En
même temps, vous couperez de mes cheveux, et vous
en ferez un petit paquet pour ma mère. 15

« Je vous demande pardon du mal que je vous
donne. Je me suis tué parce que j'étais trop malheureux ici. Vous seul, monsieur l'abbé, vous êtes
toujours montré très bon pour moi. Je vous en re-
mercie. 20

« Daniel Eyssette.

Après quoi, le petit Chose met cette lettre et celle de
Jacques sous une même grande enveloppe, avec cette
suscription: « La personne qui trouvera la première
mon cadavre, est priée de remettre ce pli[1] entre les 25
mains de l'abbé Germane.» Puis, toutes ses affaires
terminées, il attend tranquillement la fin de l'étude.

L'étude est finie. On soupe, on fait la prière, on
monte au dortoir.

Les élèves se couchent. Le petit Chose est seul. 30
Il ouvre la porte doucement et s'arrête un instant sur

le palier pour voir si les élèves ne se réveillent pas ;
mais tout est tranquille dans le dortoir.

Alors il descend, il se glisse à petits pas dans l'ombre
des murs.   La tramontane souffle tristement par des-
5 sous les portes. Au bas de l'escalier, en passant devant
le péristyle, il aperçoit la cour blanche de neige.   Là-
haut, près des toits, veille une lumière : c'est l'abbé
Germane qui travaille à son grand ouvrage.   Du fond
de son cœur le petit Chose envoie un dernier adieu,
10 bien sincère, à ce bon abbé ; puis il entre dans la
salle...

Le vieux gymnase de l'école de marine est plein
d'une ombre froide et sinistre.   Par les grillages d'une
fenêtre un peu de lune descend et vient donner en
15 plein sur le gros anneau de fer... Dans un coin de
la salle, un vieil escabeau dormait.   Le petit Chose va
le prendre, le porte sous l'anneau, et monte dessus ; il
ne s'est pas trompé, c'est juste à la hauteur qu'il faut.
Alors il détache sa cravate, une longue cravate en soie
20 violette qu'il porte autour de son cou, comme un ruban.
Il attache la cravate à l'anneau et fait un nœud cou-
lant... Une heure sonne.   Allons ! il faut mourir...
Adieu, Jacques ! Adieu, Mme Eyssette !

Tout à coup un poignet de fer s'abat sur lui.   Il se
25 sent saisi par le milieu du corps et planté debout sur
ses pieds, au bas de l'escabeau.   En même temps une
voix rude et narquoise, qu'il connaît bien, lui dit :
« En voilà une idée, de faire du trapèze à cette
heure ! »

30   Le petit Chose se retourne, stupéfait.

C'est l'abbé Germane.

Le petit Chose est tout rouge, tout interdit.

— Je ne fais pas du trapèze, monsieur l'abbé, je veux mourir.

— Comment!...mourir?... Tu as donc bien du chagrin?

— Oh!...répond le petit Chose avec de grosses larmes brûlantes qui roulent sur ses joues.

— Daniel, tu vas venir avec moi, dit l'abbé.

Le petit Daniel fait signe que non et montre l'anneau de fer avec la cravate... L'abbé Germane le prend par la main: «Voyons! monte dans ma chambre; si tu veux te tuer, eh bien! tu te tueras là-haut: il y a du feu, il fait bon.»

Mais le petit Chose résiste: «Laissez-moi mourir, monsieur l'abbé. Vous n'avez pas le droit de m'empêcher de mourir.»

Un éclair de colère passe dans les yeux du prêtre: «Ah! c'est comme cela!»[1] dit-il. Et prenant brusquement le petit Chose par la ceinture, il l'emporte sous son bras comme un paquet, malgré sa résistance et ses supplications...

...Nous voici maintenant chez l'abbé Germane: un grand feu brille dans la cheminée; près du feu, il y a une table avec une lampe allumée, des pipes et des tas de papiers.

Le petit Chose est assis au coin de la cheminée. Il est très agité, il parle beaucoup, il raconte sa vie, ses malheurs et pourquoi il a voulu en finir. L'abbé l'écoute en souriant; puis, quand l'enfant a bien parlé, bien pleuré, le brave homme lui prend les mains et lui dit très tranquillement:

— Tout cela n'est rien, mon garçon, et tu aurais été joliment bête de te mettre à mort pour si peu. Ton histoire est fort simple : on t'a chassé du collège, — ce qui, par parenthèse, est un grand bonheur pour toi... — eh bien ! il faut partir, partir tout de suite, sans attendre tes huit jours... Ton voyage, tes dettes, ne t'en inquiète pas ! je m'en charge... Nous réglerons tout cela demain... A présent, plus[1] un mot ! j'ai besoin de travailler, et tu as besoin de dormir... Seulement je ne veux pas que tu retournes dans ton affreux dortoir : tu aurais froid, tu aurais peur ; tu vas te coucher dans mon lit... Moi, j'écrirai toute la nuit... Bonsoir ! ne me parle plus.

Le petit Chose se couche, il ne résiste pas... Tout ce qui lui arrive lui fait l'effet d'un rêve. Que d'événements dans une journée ! Avoir été si près de la mort, et se retrouver au fond d'un bon lit, dans cette chambre tranquille et tiède !...

...Je fus réveillé le lendemain matin par l'abbé, qui me frappait sur l'épaule. J'avais tout oublié en dormant...

— Allons ! mon garçon, me dit-il, la cloche sonne, dépêche-toi ; personne ne se sera aperçu de rien, va prendre tes élèves comme à l'ordinaire ; pendant la récréation du déjeuner je t'attendrai ici pour causer.

Si l'étude me parut longue, je n'ai pas besoin de vous le dire... Les élèves n'étaient pas encore dans la cour, que déjà je frappais chez l'abbé Germane. Je le retrouvai devant son bureau, les tiroirs grands ouverts, occupé à compter des pièces d'or.

Au bruit que je fis en rentrant, il retourna la tête, puis se remit à son travail, sans rien me dire ; quand il eut fini, il referma ses tiroirs, et me faisant signe de la main avec un bon sourire :

— Tout ceci est pour toi, me dit-il. J'ai fait ton compte. Voici pour le voyage, voici pour le portier, voici pour le café Barbette, voici pour l'élève qui t'a prêté dix francs...

Je voulus parler, mais il ne m'en laissa pas le temps : « A présent, mon garçon, fais-moi tes adieux...voilà ma classe qui sonne, et quand j'en sortirai je ne veux plus te retrouver ici... File vite à Paris, travaille bien, et tâche d'être un homme. — Tu m'entends, tâche d'être un homme. — Car vois-tu ! mon petit Daniel, tu n'es encore qu'un enfant, et même j'ai bien peur que tu sois un enfant toute ta vie.»

La cloche sonnait le dernier coup.

— Bon ! voilà que je suis en retard, dit-il en rassemblant à la hâte ses livres et ses cahiers. Comme il allait sortir, il se retourna encore vers moi.

— J'ai bien un frère à Paris, moi aussi, un brave homme de prêtre, que tu pourrais aller voir... Mais, bah ! à moitié fou comme tu l'es, tu n'aurais qu'à oublier son adresse... Et sans en dire davantage, il se mit à descendre l'escalier à grands pas.

Comme je sortais du collège à grandes enjambées, la loge du portier s'ouvrit brusquement, et j'entendis qu'on m'appelait :

— Monsieur Eyssette ! monsieur Eyssette !

C'étaient le maître du café Barbette et son digne ami M. Cassagne, l'air effaré, presque insolents.

Le cafetier parla le premier.

— Est-ce vrai que vous partez, monsieur Eyssette ?

— Oui, monsieur Barbette, répondis-je tranquillement, je pars aujourd'hui même.

M. Barbette fit un bond, M. Cassagne en fit un

autre ; mais le bond de M. Barbette fut bien plus fort
que celui de M. Cassagne, parce que je lui devais beaucoup plus d'argent.

— Comment ! aujourd'hui même !

5 　— Aujourd'hui même, et je cours de ce pas retenir
ma place à la diligence.

Je crus qu'ils allaient me sauter à la gorge.

— Et mon argent ? dit M. Barbette.

— Et le mien ? hurla M. Cassagne.

10 　Sans répondre, j'entrai dans la loge, et tirant gravement, à pleines mains, les belles pièces d'or de l'abbé
Germane, je me mis à leur compter sur le bout de la
table ce que je leur devais à tous les deux.

Ce fut un coup de théâtre !¹ Les deux figures ren-
15 frognées se déridèrent, comme par magie... Quand
ils eurent empoché leur argent, un peu honteux des
craintes qu'ils m'avaient montrées, et tout joyeux d'être
payés, ils s'épanchèrent en compliments de condoléance et en protestations d'amitié :

20 　— Vraiment, monsieur Eyssette, vous nous quit-
tez ?... Oh ! quel dommage ! Quelle perte pour la
maison !

Et puis des oh ! des ah ! des hélas ! des soupirs, des
poignées de main, des larmes étouffées...

25 　Mais, coupant court à leurs effusions ridicules, je
sortis du collège et m'en allai bien vite retenir ma
place à la bienheureuse diligence qui devait m'emporter loin de tous ces monstres.

Quand je rentrai au collège, les élèves étaient en
30 classe. Nous montâmes dans ma mansarde. L'homme
chargea la malle sur ses épaules et descendit. Moi,
je restai encore quelques instants dans cette chambre

glaciale, regardant les murs nus et salis, le pupitre noir tout déchiqueté, et, par la fenêtre étroite, les platanes des cours qui montraient leurs têtes couvertes de neige... En moi-même, je disais adieu à tout ce monde.

Après quoi, je descendis lentement, regardant attentif autour de moi, comme pour emporter dans mes yeux l'image, toute l'image, de ces lieux que je ne devais plus jamais revoir... Je passai devant le cabinet du principal, avec sa double porte mystérieuse; puis, à quelques pas plus loin, devant le cabinet de M. Viot... Là, je m'arrêtai subitement. O joie, ô délices! les clefs, les terribles clefs pendaient à la serrure, et le vent les faisait doucement frétiller. Je les regardai avec une sorte de terreur religieuse; puis, tout à coup, une idée de vengeance me vint. Traîtreusement, d'une main sacrilège, je retirai le trousseau de la serrure, et, le cachant sous ma redingote, je descendis l'escalier quatre à quatre.

Il y avait au bout de la cour un puits très profond... A cette heure la cour était déserte. Tout favorisait mon crime. Tirant les clefs de dessous mon habit, ces misérables clefs qui m'avaient tant fait souffrir, je les jetai dans le puits de toutes mes forces... Ce forfait commis, je m'éloignai souriant.

DEUXIÈME PARTIE

I

Quand je vivrais aussi longtemps que mon oncle
Baptiste, lequel doit être à cette heure aussi vieux
qu'un vieux baobab[1] de l'Afrique centrale, jamais je
n'oublierais mon premier voyage à Paris en wagon de
5 troisième classe.[2]

C'était dans les derniers jours de février; il faisait
encore très froid. Au dehors, un ciel gris, le vent, le
grésil, les collines chauves, des prairies inondées, de
longues rangées de vignes mortes; au dedans, des
10 matelots ivres qui chantaient, de gros paysans qui dor-
maient la bouche ouverte comme des poissons morts,
des enfants, des nourrices, tout l'attirail du wagon des
pauvres avec son odeur de pipe, d'eau-de-vie et de
paille moisie. Je crois y être encore.

15 Le voyage dura deux jours. Comme je n'avais pas
d'argent ni de provisions, je ne mangeai rien de toute
la route. Deux jours sans manger, c'est long! — Il
me restait bien encore une pièce de quarante sous,
mais je la gardais précieusement pour le cas où, en
20 arrivant à Paris, je ne trouverais pas l'ami Jacques à
la gare, et malgré la faim j'eus le courage de n'y pas
toucher. Pourtant ce n'est pas la faim dont je souf-

fris le plus en ce terrible voyage. J'étais parti de
Sarlande sans souliers, n'ayant aux pieds que de petits
caoutchoucs fort minces, qui me servaient là-bas pour
faire ma ronde dans le dortoir. Très joli, le caoutchouc; mais l'hiver, en troisième classe... Dieu! que
j'ai eu froid! C'était à en pleurer. La nuit, quand
tout le monde dormait, je prenais doucement mes pieds
entre mes mains et je les tenais des heures entières
pour essayer de les réchauffer. Ah! si Mme Eyssette
m'avait vu.

Eh bien! malgré la faim qui le tourmentait, malgré ce froid cruel qui lui arrachait des larmes, le petit
Chose était bien heureux. Au bout de toutes ces
souffrances, il y avait Jacques, il y avait Paris.

Dans la nuit du second jour, vers trois heures du
matin, je fus réveillé en sursaut. Le train venait de
s'arrêter: tout le wagon était en émoi.

J'entendis un voyageur dire à sa femme:

— Nous y sommes.

— Où donc? demandai-je en me frottant les yeux.

— A Paris, parbleu!

Cinq minutes après, nous entrions dans la gare.
Jacques était là depuis une heure. Je l'aperçus de
loin avec sa longue taille un peu voûtée et ses grands
bras qui me faisaient signe derrière le grillage. D'un
bond je fus sur lui.

— Jacques! mon frère!...

— Ah! cher enfant!

Et nos deux âmes s'étreignirent de toute la force
de nos bras.

Jacques me dit tout bas: « Allons-nous-en. Demain, j'enverrai chercher ta malle.» Et, bras¹ dessus

bras dessous, nous nous mîmes en route pour le
Quartier-Latin.

Nous marchâmes longtemps, longtemps, par des rues
noires interminables ; puis, tout à coup, Jacques s'ar-
5 rêta sur une petite place où il y avait une église.

— Nous voici à Saint-Germain-des-Prés,[1] me dit-il.
Notre chambre est là-haut.

— Comment ! Jacques !... dans le clocher ?...

— Dans le clocher même... C'est très commode
10 pour savoir l'heure.

Jacques exagérait un peu. Il habitait, dans la maison à côté de l'église, une petite mansarde au cinquième ou au sixième étage, et sa fenêtre ouvrait sur
le clocher de Saint-Germain, juste à la hauteur du
15 cadran.

En entrant, je poussai un cri de joie. « Du feu !
quel bonheur ! » Et tout de suite je courus à la cheminée présenter mes pieds à la flamme, au risque de
fondre les caoutchoucs. Alors seulement, Jacques s'a-
20 perçut de l'étrangeté de ma chaussure. Cela le fit
beaucoup rire.

— Mon cher, me dit-il, il y a une foule d'hommes
célèbres qui sont arrivés à Paris en sabots, et qui s'en
vantent. Toi, tu pourras dire que tu y es arrivé en
25 caoutchoucs : c'est bien plus original. En attendant,
mets ces pantoufles, et entamons le pâté.

Disant cela, le bon Jacques roulait devant le feu une
petite table qui attendait dans un coin, toute servie.

Dieu ! qu'on était bien cette nuit-là dans la chambre
30 de Jacques ! De l'autre côté de la table, en face, tout
en face de moi, Jacques me versait à boire : et, chaque
fois que je levais les yeux, je voyais son regard tendre

comme celui d'une mère, qui me riait doucement. Moi,
j'étais si heureux d'être là que j'en avais positivement
la fièvre. Je parlais, je parlais!

— Mange donc, me disait Jacques en me remplis-
sant mon assiette; mais je parlais toujours et je ne 5
mangeais pas. Alors, pour me faire taire, il se mit
à bavarder, lui aussi, et me narra longuement, sans
prendre haleine, tout ce qu'il avait fait depuis plus
d'un an que nous ne nous étions pas vus.

« Quand tu fus parti, me disait-il, — et les choses 10
les plus tristes, il les contait toujours avec son divin
sourire résigné, — quand tu fus parti, la maison devint
tout à fait lugubre. Le père ne travaillait plus; il
passait tout son temps dans le magasin à jurer contre
les révolutionnaires et à me crier que j'étais un âne, 15
ce qui n'avançait pas les affaires.

« Au bout d'un mois de cette terrible existence, mon
père partit pour la Bretagne au compte de la Compagnie vinicole, et Mme Eyssette chez l'oncle Baptiste.
Tu penses si j'en ai versé de ces larmes... Derrière 20
eux,[1] tout notre pauvre mobilier fut vendu, oui, mon
cher, vendu dans la rue, sous mes yeux, devant notre
porte; et c'est bien pénible que de voir son foyer s'en
aller ainsi pièce par pièce.

« Je passai encore quelques mois à Lyon, mais bien 25
longs, bien noirs, bien larmoyants. C'est alors que la
pensée me vint de m'embarquer pour Paris. Il me
semblait que là je serais plus à même[2] de venir en
aide à la famille, et que je trouverais tous les
matériaux nécessaires à notre fameuse reconstruc- 30
tion. Mon voyage fut donc décidé; seulement
je pris mes précautions. Je ne voulais pas tom-

ber dans les rues de Paris comme un pierrot sans
plumes.

« J'allai donc demander quelques lettres de recommandation à notre ami le curé de Saint-Nizier. Il
5 me donna deux lettres, l'une pour un comte, l'autre
pour un duc. Me voilà donc parti, avec trois louis
en poche : 35 francs pour mon voyage et 25 pour voir
venir.[1]

« Le lendemain de mon arrivée à Paris, dès sept
10 heures du matin, j'étais dans les rues, en habit noir
et en gants jaunes. Pour ta gouverne, petit Daniel,
ce que je faisais là était très ridicule. A sept heures
du matin, à Paris, tous les habits noirs sont couchés,
ou doivent l'être. Moi, je l'ignorais ; et j'étais très
15 fier de promener le mien parmi ces grandes rues, en
faisant sonner mes escarpins neufs. Je croyais aussi
qu'en sortant de bonne heure j'aurais plus de chances
pour rencontrer la Fortune. Encore une erreur : la
Fortune, à Paris, ne se lève pas matin.

20 « J'allai d'abord chez le comte, rue de Lille ; puis
chez le duc, rue Saint-Guillaume. Aux deux endroits,
je trouvai les gens de service en train de laver les
cours. Quand je dis à ces faquins que je venais parler
à leurs maîtres de la part du curé de Saint-Nizier, ils
25 me rirent au nez en m'envoyant des seaux d'eau dans
les jambes...

« Tel que je te connais, toi, je suis sûr qu'à ma
place tu n'aurais jamais osé retourner dans ces mai-
sons et affronter les regards moqueurs de la valetaille.
30 Eh bien ! moi, j'y retournai avec aplomb le jour même,
dans l'après-midi, et, comme le matin, je demandai
aux gens de service de m'introduire auprès de leurs

maîtres, toujours de la part du curé de Saint-Nizier.
Bien m'en prit[1] d'avoir été brave : ces deux messieurs
étaient visibles et je fus tout de suite introduit. Je
trouvai deux hommes et deux accueils bien différents.
Le comte de la rue de Lille me reçut très froidement. 5
Sa longue figure maigre, sérieuse jusqu'à la solennité,
m'intimidait beaucoup, et je ne trouvai pas quatre
mots à lui dire. Lui de son côté, me parla à peine.
Il regarda la lettre du curé de Saint-Nizier, la mit
dans sa poche, me demanda de lui laisser mon adresse, 10
et me congédia d'un geste glacial, en me disant : « Je
m'occuperai de vous ; inutile que vous reveniez. Si
je trouve quelque chose, je vous écrirai.»

« Je sortis de chez lui, transi jusqu'aux moelles.
Heureusement la réception qu'on me fit rue Saint- 15
Guillaume avait de quoi me réchauffer le cœur. J'y
trouvai le duc le plus réjoui, le plus avenant du
monde... Ah! le bon homme! le brave duc! Nous
fûmes amis tout de suite. Il m'offrit une pincée de
tabac, me tira le bout de l'oreille, et me renvoya avec 20
une tape sur la joue et d'excellentes paroles :

« Je me charge de votre affaire. Avant peu, j'aurai
ce qu'il vous faut. D'ici là, venez me voir aussi souvent que vous voudrez.»

« Je m'en allai ravi. 25

« Je passai deux jours sans y retourner, par discré-
tion. Le troisième jour seulement, je poussai jusqu'à
l'hôtel[2] de la rue Saint-Guillaume. Un grand escogriffe bleu et or[3] me demanda mon nom. Je répondis
d'un air suffisant : 30

« Dites que c'est de la part du curé de Saint-Nizier.»
« Il revint au bout d'un moment.

« Monsieur le duc est très occupé. Il prie monsieur de l'excuser et de vouloir bien passer un autre jour.»

« Le lendemain, je revins à la même heure. Je trouvai le grand escogriffe bleu de la veille, perché sur le perron. Du plus loin qu'il m'aperçut, il me dit gravement :

« — Monsieur le duc est sorti.

«— Ah! très bien! répondis-je, je reviendrai. Dites-lui, je vous prie, que c'est la personne de la part du curé de Saint-Nizier.

« Le lendemain, je revins encore; les jours suivants aussi, mais toujours avec le même insuccès. Une fois le duc était au bain, une autre fois à la messe, un jour au jeu de paume, un autre jour avec du monde.

« Il y avait dix jours environ que j'étais à Paris, lorsqu'un soir, en revenant d'une de ces visites à la rue Saint-Guillaume, — je m'étais juré d'y aller jusqu'à ce qu'on me mît à la porte, — je trouvai chez mon portier une petite lettre. Devine de qui?...une lettre du comte, mon cher, du comte de la rue de Lille, qui m'engageait à me présenter sans retard chez son ami le marquis d'Hacqueville. On demandait un secrétaire...

« Sans perdre une minute, je courus chez le marquis d'Hacqueville. Je trouvai un petit vieux, alerte et gai comme une abeille. Une tête aristocrate, fine et pâle, des cheveux droits comme des quilles, et rien qu'un œil, l'autre est mort d'un coup d'épée, voilà longtemps. Mais celui qui reste est si brillant, si vivant, qu'on ne peut pas dire que le marquis est borgne. Il a deux yeux dans le même œil, voilà tout.

« Quand j'arrivai devant ce singulier petit vieillard, je commençai par lui débiter quelques banalités de circonstance;[1] mais il m'arrêta net:

« Pas de phrases! me dit-il. Je ne les aime pas. Venons aux faits, voici. J'ai entrepris d'écrire mes mémoires. Je m'y suis malheureusement pris un peu tard, et je n'ai plus de temps à perdre, commençant à me faire très vieux. J'ai calculé qu'en employant tous mes instants, il me fallait encore trois années de travail pour terminer mon œuvre. J'ai soixante-dix ans, les jambes sont en déroute; mais la tête n'a pas bougé. Je peux donc espérer aller encore trois ans et mener mes mémoires à bonne fin. Seulement, je n'ai pas une minute de trop; c'est ce que mon secrétaire n'a pas compris. Cet imbécile, — un garçon fort intelligent, ma foi, dont j'étais enchanté, — s'est mis dans la tête d'être amoureux et de vouloir se marier. Jusque-là il n'y a pas de mal. Mais ce matin, mon drôle vient me demander deux jours de congé pour faire ses noces. Ah! bien oui! deux jours de congé! Pas une minute.

« — Mais, monsieur le marquis...

« — Il n'y a pas de « mais, monsieur le marquis...» Si vous vous en allez deux jours, vous vous en irez tout à fait.

« — Je m'en vais, monsieur le marquis.

« — Bon voyage!

« Et voilà mon coquin parti...c'est sur vous, mon cher garçon, que je compte pour le remplacer.

« C'est ainsi, mon Daniel, que je suis entré chez cet original, lequel est au fond un excellent homme. A huit heures du soir, je suis libre. Je vais lire les

journaux dans un cabinet de lecture,[1] ou bien encore
dire bonjour à notre ami Pierrotte... Est-ce que tu
te rappelles, l'ami Pierrotte? tu sais! Pierrotte des
Cévennes. Il a un beau magasin de porcelaines au
5 passage du Saumon;[2] et comme il aimait beaucoup
Mme Eyssette, j'ai trouvé sa maison ouverte à tous
battants.[3] Pendant les soirées d'hiver, c'était une res-
source... Mais maintenant que te voilà, je ne suis
plus en peine pour mes soirées...

II

10 Jacques a fini son odyssée,[4] maintenant c'est le tour
de la mienne.

Les coudes sur la table, la tête dans ses mains,
Jacques écoute jusqu'au bout ma confession sans l'interrompre... De temps en temps, je le vois qui fris-
15 sonne et je l'entends dire: « Pauvre petit! pauvre
petit! »

Quand j'ai fini, il se lève, me prend les mains et
me dit d'une voix douce qui tremble: « L'abbé Germane avait raison: vois-tu! Daniel, tu es un enfant,
20 un petit enfant incapable d'aller seul dans la vie, et
tu as bien fait de te réfugier près de moi. Dès aujourd'hui tu n'es plus seulement mon frère, tu es mon
fils aussi, et puisque notre mère est loin, c'est moi qui
la remplacerai. Le veux-tu? dis, Daniel! Veux-tu
25 que je sois ta mère Jacques? Je ne t'ennuierai pas
beaucoup, tu verras. Tout ce que je te demande, c'est
de me laisser toujours marcher à côté de toi et de te
tenir la main.

Pour toute réponse, je lui saute au cou : — « O ma mère Jacques, que tu es bon ! » — Et me voilà pleurant à chaudes larmes sans pouvoir m'arrêter, tout à fait comme l'ancien Jacques de Lyon.

A ce moment, sept heures sonnent. Les vitres s'allument. Une lueur pâle entre dans la chambre en frissonnant.

— Voilà le jour, Daniel, dit Jacques. Il est temps de dormir. Couche-toi vite...tu dois en avoir besoin.

— Et toi, Jacques ?

— Oh ! moi, je n'ai pas deux jours de chemin de fer dans les reins... D'ailleurs, avant d'aller chez le marquis, il faut que je rapporte quelques livres au cabinet de lecture, et je n'ai pas de temps à perdre... tu sais que le d'Hacqueville ne plaisante pas... Je rentrerai ce soir à huit heures... Toi, quand tu te seras bien reposé, tu sortiras un peu. Surtout je te recommande...

Ici ma mère Jacques commence à me faire une foule de recommandations très importantes pour un nouveau débarqué comme moi ; par malheur, tandis qu'il me les fait, je me suis étendu sur le lit, et, sans dormir précisément, je n'ai déjà plus les idées bien nettes. La fatigue, le pâté, les larmes... Je suis aux trois quarts assoupi... J'entends d'une façon confuse quelqu'un qui va et vient dans la chambre, tisonne le feu, ferme les rideaux des croisées, puis s'approche de moi, me pose un manteau sur les pieds, m'embrasse au front et s'éloigne doucement avec un bruit de porte...

Je dormais depuis quelques heures, et je crois que j'aurais dormi jusqu'au retour de ma mère Jacques, quand le son d'une cloche me réveilla subitement.

C'était la cloche de Sarlande, l'horrible cloche de fer
qui sonnait comme autrefois : « Ding ! dong ! réveillez-
vous ! ding ! dong ! habillez-vous ! » D'un bond je fus
au milieu de la chambre, la bouche ouverte pour crier
5 comme au dortoir : « Allons, messieurs ! » Puis, quand
je m'aperçus que j'étais chez Jacques, je partis d'un
grand éclat de rire et je me mis à gambader follement
par la chambre. Ce que j'avais pris pour la cloche de
Sarlande, c'était la cloche d'un atelier du voisinage,
10 qui sonnait sec et féroce comme celle de là-bas.

J'allai à la fenêtre, et je l'ouvris. Je m'attendais
presque à voir au-dessous de moi la cour des grands
avec ses arbres mélancoliques et l'homme aux clefs
rasant les murs...

15 Au moment où j'ouvrais, midi sonnait partout...
Je restai là un moment à regarder luire dans la lumière
les dômes, les flèches, les tours ; puis tout à coup, le
bruit de la ville montant jusqu'à moi, il me vint je ne
sais quelle folle envie de plonger, de me rouler dans
20 ce bruit, dans cette foule, dans cette vie, dans ces pas-
sions, et je me dis avec ivresse : « Allons voir Paris ! »

Ce jour-là, plus d'un Parisien a dû dire en rentrant
chez lui, le soir, pour se mettre à table : « Quel singulier petit bonhomme j'ai rencontré aujourd'hui ! »
25 Le fait est qu'avec ses cheveux trop longs, son pantalon trop court, ses caoutchoucs, ses bas bleus, le petit
Chose devait être tout à fait comique.

C'était justement une journée de la fin de l'hiver.
Il y avait beaucoup de monde dehors. Un peu étourdi
30 par le va-et-vient bruyant de la rue, j'allais devant moi,
timide, et le long des murs. On me bousculait, je
disais « pardon ! » et je devenais tout rouge. Aussi

je me gardais bien de m'arrêter devant les magasins
et, pour rien au monde, je n'aurais demandé ma route.

Je marchai ainsi près d'une heure, jusqu'à un grand
boulevard planté d'arbres grêles. Il y avait là tant de
bruit, tant de gens, tant de voitures, que je m'arrêtai 5
presque effrayé.

— Comment me tirer d'ici? pensai-je en moi-même.
Comment rentrer à la maison? Si je demande le clocher de Saint-Germain-des-Prés, on se moquera de moi.

Alors, pour me donner le temps de prendre un parti,[1] 10
je m'arrêtai devant les affiches de théâtre, de l'air
affairé d'un homme qui fait son menu de spectacles[2]
pour le soir. Malheureusement les affiches, fort in-
téressantes d'ailleurs, ne donnaient pas le moindre
renseignement sur le clocher de Saint-Germain, et je 15
risquais fort de rester là jusqu'au grand coup de
trompette du jugement dernier, quand soudain ma
mère Jacques parut à mes côtés. Il était aussi étonné
que moi.

— Comment! c'est toi, Daniel! Que fais-tu là, bon 20
Dieu?

Je répondis d'un petit air négligent:

— Tu vois! je me promène.

Ce bon garçon de Jacques me regardait avec admiration: 25

— C'est qu'il est déjà Parisien, vraiment!

Au fond, j'étais bien heureux de l'avoir, et je m'ac-
crochai à son bras avec une joie d'enfant, comme à
Lyon, quand M. Eyssette père était venu nous chercher
sur le bateau. 30

— Quelle chance que nous nous soyons rencontrés!
me dit Jacques. Mon marquis a une extinction de

voix, et comme, heureusement, on ne peut pas dicter
par gestes, il m'a donné congé jusqu'à demain... Nous
allons en profiter pour faire une grande promenade...

Là-dessus, il m'entraîne; et nous voilà partis dans
5 Paris, bien serrés l'un contre l'autre et tout fiers de
marcher ensemble.

Maintenant que mon frère est près de moi, la rue
ne me fait plus peur.   Pourtant une chose m'inquiète.
Jacques, chemin faisant, me regarde à plusieurs re-
10 prises d'un air piteux.   Je n'ose lui demander pourquoi.

— Sais-tu qu'ils sont très gentils tes caoutchoucs?
me dit-il au bout d'un moment.

— N'est-ce pas, Jacques?

15 — Oui, ma foi! très gentils... Puis, en souriant, il
ajoute: C'est égal,¹ quand je serai riche, je t'achè-
terai une paire de bons souliers pour mettre dedans.

Pauvre cher Jacques! il a dit cela sans malice; mais
il n'en faut pas plus pour me décontenancer.   Voilà
20 toutes mes hontes revenues.   Sur ce grand boulevard,
je me sens ridicule avec mes caoutchoucs, et quoi que
Jacques puisse me dire d'aimable en faveur de ma
chaussure, je veux rentrer sur-le-champ.

Nous rentrons.   On s'installe au coin du feu, et le
25 reste de la journée se passe gaiement à bavarder ensemble comme deux moineaux...   Vers le soir, on
frappe à notre porte.   C'est un domestique du marquis avec ma malle.

— Très bien! dit ma mère Jacques.   Nous allons
30 inspecter un peu ta garde-robe.

L'inspection commence.   Il faut voir notre mine piteusement comique en faisant ce maigre inventaire.

Jacques, à genoux devant la malle, tire les objets l'un
après l'autre et les annonce à mesure.

— Un dictionnaire...une cravate... un autre dic-
tionnaire... Tiens! une pipe...tu fumes donc!...
Encore une pipe... Bonté divine! que de pipes!...   5
Si tu avais seulement autant de chaussettes...

A cet endroit de l'inventaire, ma mère Jacques
pousse un cri de surprise.

— Miséricorde! Daniel...qu'est-ce que je vois?
Des vers! ce sont des vers... Tu en fais donc tou-   10
jours?... Pourquoi ne m'en as-tu jamais parlé dans
tes lettres?... J'ai fait des poèmes, moi aussi, dans le
temps... Souviens-toi de *Religion! Religion! Poème
en douze chants!*... Voyons un peu tes poésies!...

— Oh! non, Jacques, je t'en prie. Cela n'en vaut   15
pas la peine.

— Tous les mêmes, ces poètes, dit Jacques en riant.
Allons! mets-toi là, et lis-moi tes vers; sinon je vais
les lire moi-même, et tu sais comme je lis mal!

Cette menace me décide; je commence ma lecture.   20

Ce sont des vers que j'ai faits au collège de Sarlande,
sous les châtaigniers de la Prairie, en surveillant les
élèves... Bons, ou méchants? Je ne m'en souviens
guère; mais quelle émotion en les lisant!... Pensez
donc! des poésies qu'on n'a jamais montrées à per-   25
sonne... Et puis l'auteur de *Religion! Religion!* n'est
pas un juge ordinaire.

Triomphe inespéré! A peine j'ai fini, Jacques enthousiasmé quitte sa place et me saute au cou:

— Oh! Daniel! que c'est beau! que c'est beau!   30
Je le regarde avec un peu de défiance.

— Vraiment, Jacques, tu trouves?...

— Magnifique, mon cher, magnifique!... Quand je
pense que tu avais toutes ces richesses dans ta malle
et que tu ne m'en disais rien! c'est incroyable!...

Et voilà ma mère Jacques qui marche à grands pas
5 dans la chambre, parlant tout seul et gesticulant. Tout
à coup, il s'arrête en prenant un air solennel:

— Il n'y a plus à hésiter: Daniel, tu es poète, il
faut rester poète et chercher ta vie de ce côté-là.

— Oh! Jacques, c'est bien difficile... Les débuts
10 surtout. On gagne si peu.

— Bah! je gagnerai pour deux, n'aie pas peur.

J'essaye encore quelques objections; mais Jacques
a réponse à tout. Du reste, il faut le dire, je ne
me défends que faiblement. L'enthousiasme fraternel
15 commence à me gagner.

Pendant cette discussion, la nuit est venue, les cloches de Saint-Germain carillonnent joyeusement. —
« Allons dîner! » dit ma mère Jacques; et il m'em-
mène dans une crémerie de la rue Saint-Benoît.

20 C'est un petit restaurant de pauvres, avec une table
d'hôte[1] au fond pour les habitués. Nous mangeons
dans la première salle, au milieu de gens très râpés,
très affamés, qui raclent leurs assiettes silencieusement. — « Ce sont presque tous des hommes de lettres, »
25 me dit Jacques à voix basse. Dans moi-même, je ne
puis m'empêcher de faire à ce sujet quelques réflexions
mélancoliques; mais je me garde bien de les commu-
niquer à Jacques, de peur de refroidir son enthousiasme.

30 Le dîner est très gai. M. Daniel Eyssette montre
beaucoup d'entrain, et encore plus d'appétit. Le repas
fini, on se hâte de remonter dans le clocher; et tandis

que M. Daniel fume sa pipe à califourchon sur la
fenêtre, Jacques, assis à sa table, s'absorbe dans un
grand travail de chiffres qui paraît l'inquiéter beaucoup. Il se ronge les ongles, s'agite fébrilement sur sa
chaise, compte sur ses doigts, puis, tout à coup, se lève   5
avec un cri de triomphe : « Bravo !... j'y suis arrivé...

— A quoi, Jacques ?

— A établir notre budget, mon cher. Et je te réponds que ce n'était pas une petite affaire. Pense !
soixante francs par mois pour vivre à deux !...   10

— Comment ! soixante ?... Je croyais que tu ga-
gnais cent francs chez le marquis.

— Oui ! mais il y a là-dessus quarante francs par
mois, à envoyer à Madame Eyssette pour la recon-
struction du foyer... Restent donc soixante francs.   15
Nous avons quinze francs de chambre,[1] comme tu vois,
ce n'est pas cher ; seulement, il faut que je fasse le lit
moi-même. Donc 15 francs de chambre, 5 francs de
charbon, — seulement 5 francs, parce que je vais le
chercher moi-même aux usines tous les mois ; — restent 20
40 francs. Pour ta nourriture, mettons 30 francs. Tu
dîneras à la crémerie où nous sommes allés ce soir, c'est
15 sous sans le dessert, et tu as vu qu'on n'est pas
trop mal. Il te reste 5 sous pour ton déjeuner. Est-
ce assez ?   25

— Je crois bien.

— Nous avons encore 10 francs. Je compte 7 francs
de blanchissage... Quel dommage que je n'aie pas le
temps ! j'irais moi-même au bateau[2]... Restent 3
francs que j'emploie comme ceci : 30 sous pour mes   30
déjeuners...dame, tu comprends ! moi, je fais tous
les jours un bon repas chez mon marquis, et je n'ai

pas besoin d'un déjeuner aussi substantiel que le tien.
Les derniers trente sous sont les menus frais, tabac,
timbres-poste et autres dépenses imprévues. Cela nous
fait juste nos soixante francs… Hein! Crois-tu que
5 c'est calculé? Il y a bien encore la question des souliers et des vêtements, mais je sais ce que je vais
faire… J'ai tous les jours ma soirée libre à partir
de huit heures, je chercherai une place de teneur de
livres chez quelque petit marchand. Bien sûr que
10 l'ami Pierrotte me trouvera cela facilement.

— Ah çà! Jacques, vous êtes donc très liés, toi et
l'ami Pierrotte?… Est-ce que tu y vas souvent?

— Oui, très souvent. Le soir, on fait de la musique.

15 — Tiens! Pierrotte est musicien?

— Non! pas lui; sa fille.

— Sa fille!… Il a donc une fille?… Hé! hé!
Jacques… Est-elle jolie, Mlle Pierrotte?

— Oh! tu m'en demandes trop pour une fois, mon
20 petit Daniel… Un autre jour, je te répondrai. Maintenant, il est tard; allons nous coucher.

Il y a, sur la place de Saint-Germain-des-Prés, dans
le coin de l'église, à gauche et tout au bord des toits,
une petite fenêtre qui me serre le cœur chaque fois
25 que je la regarde. C'est la fenêtre de notre ancienne
chambre; et, encore aujourd'hui, quand je passe par
là, je me figure que le Daniel d'autrefois est toujours
là-haut, assis à sa table contre la vitre, et qu'il sourit
de pitié en voyant dans la rue le Daniel d'aujourd'hui
30 triste et déjà courbé.

Le matin, on se levait avec le jour. Jacques, tout
de suite, s'occupait du ménage. Il allait chercher de

l'eau, balayait la chambre, rangeait ma table. Moi, je n'avais le droit de toucher à rien.

Le ménage fini, Jacques s'en allait chez son marquis, et je ne le revoyais plus que dans la soirée. Je passais mes journées tout seul, en tête à tête avec la Muse ou ce que j'appelais la Muse. Du matin au soir, la fenêtre restait ouverte avec ma table devant, et sur cet établi, du matin au soir, j'enfilais des rimes.

La muse, les pierrots, les cloches, je ne recevais jamais d'autres visites. Qui serait venu me voir? Personne ne me connaissait. A la crémerie de la rue Saint-Benoît, j'avais toujours soin de me mettre à une petite table à part de tout le monde; je mangeais vite, les yeux dans mon assiette; puis, le repas fini, je prenais mon chapeau furtivement et je rentrais à toutes jambes.[1] Jamais une distraction, jamais une promenade. Cette timidité maladive que je tenais de Mme Eyssette était encore augmentée par le délabrement de mon costume et ces malheureux caoutchoucs qu'on n'avait pas pu remplacer.

Quand Jacques arrivait, la chambre changeait d'aspect. Elle était toute gaieté, bruit, mouvement. On chantait, on riait, on se demandait des nouvelles de la journée. « As-tu bien travaillé? me disait Jacques; ton poème avance-t-il? » Puis il me racontait quelque nouvelle invention de son original marquis, tirait de sa poche des friandises du dessert mises de côté pour moi, et s'amusait à me les voir croquer à belles dents.[2] Après quoi, je retournais à l'établi aux rimes. Jacques faisait deux ou trois tours dans la chambre, et, quand il me croyait bien en train, s'esquivait en me disant: « Puisque tu travailles, je vais *là-bas* passer un mo-

ment.» *Là-bas,* cela voulait dire chez Pierrotte; et si vous n'avez pas déjà deviné pourquoi Jacques allait si souvent *là-bas,* c'est que vous n'êtes pas bien habiles. Moi, je compris tout, dès le premier jour, rien qu'à le
5 voir lisser ses cheveux devant la glace avant de partir, et recommencer trois ou quatre fois son nœud de cravate; mais, pour ne pas le gêner, je faisais semblant de ne me douter de rien, et je me contentais de rire au dedans de moi, en pensant des choses...

10 Sur ces entrefaites, ma mère Jacques trouva une place de teneur de livres à cinquante francs par mois, chez un petit marchand de fer, où il devait se rendre tous les soirs en sortant de chez le marquis. Le pauvre garçon m'apprit cette bonne nouvelle, moitié content,
15 moitié fâché. « Comment feras-tu pour aller *là-bas?* » lui dis-je tout de suite. Il me répondit, les yeux pleins de larmes: « J'ai le dimanche.» Et dès lors, comme il l'avait dit, il n'alla plus *là-bas* que le dimanche.

Quel était donc ce *là-bas* si séduisant qui tenait tant
20 à cœur à ma mère Jacques?... Je n'aurais pas été fâché de le connaître. Malheureusement on ne me proposait jamais de m'emmener; et moi, j'étais trop fier pour le demander. Le moyen[1] d'ailleurs d'aller quelque part, avec mes caoutchoucs?... Un dimanche
25 pourtant, au moment de partir chez Pierrotte, Jacques me dit avec un peu d'embarras:

— Est-ce que tu n'aurais pas envie de m'accompagner *là-bas,* petit Daniel? Tu leur ferais sûrement un grand plaisir.

30 — Mais, mon cher, tu plaisantes...

— Oui, je le sais bien... Le salon de Pierrotte n'est guère la place d'un poète...

— Oh! ce n'est pas pour cela, Jacques; c'est seulement à cause de mon costume...

— Tiens! au fait... je n'y songeais pas, dit Jacques.

Et il partit comme enchanté d'avoir une vraie raison pour ne pas m'emmener. A peine au bas de l'escalier, le voilà qui remonte et vient vers moi tout essoufflé.

— Daniel, me dit-il, si tu avais eu des souliers et une jaquette présentable, m'aurais-tu accompagné chez Pierrotte?

— Pourquoi pas?

— Eh bien! alors viens... je vais t'acheter tout ce qu'il te faut, nous irons *là-bas*.

Je le regardais, stupéfait. « C'est la fin du mois, j'ai de l'argent,» ajouta-t-il pour me convaincre. J'étais si content de l'idée d'avoir des nippes fraîches que je ne remarquai pas l'émotion de Jacques ni le ton singulier dont il parlait. Ce n'est que plus tard que je songeai à tout cela. Pour le moment je lui sautai au cou, et nous partîmes chez Pierrotte, en passant par le Palais-Royal,[1] où je m'habillai de neuf chez un fripier.

III

Quand Pierrotte avait vingt ans, si on lui avait prédit qu'un jour il succéderait à M. Lalouette dans le commerce des porcelaines, qu'il aurait deux cent mille francs chez son notaire — Pierrotte, un notaire! — et une superbe boutique à l'angle du passage du Saumon, on l'aurait beaucoup étonné.

Pierrotte à vingt ans n'était jamais sorti de son village, ne savait pas un mot de français[2] et gagnait cent

écus par an à élever des vers à soie.   Comme tous les
gars de son âge, Pierrotte avait une bonne amie, qu'il
allait attendre le dimanche à la sortie des vêpres pour
l'emmener danser des gavottes sous les mûriers.   La
bonne amie de Pierrotte s'appelait Roberte, la grande
Roberte.   Très fier de sa Roberte, Pierrotte comptait
l'épouser dès qu'il aurait tiré au sort;[1] mais, le jour
du tirage arrivé, le pauvre Cévenol amena le n° 4...
Il fallait partir.   Quel désespoir!...   Heureusement
Mme Eyssette qui avait été nourrie, presque élevée par
la mère de Pierrotte, vint au secours de son frère de
lait[2] et lui prêta deux mille francs pour s'acheter un
homme.[3] — On était riche chez les Eyssette dans ce
temps-là ! — L'heureux Pierrotte ne partit donc pas et
put épouser sa Roberte; mais comme ces braves gens
tenaient avant tout à rendre l'argent de Mme Eyssette
et qu'en restant au pays ils n'y seraient jamais par-
venus, ils eurent le courage de s'expatrier et mar-
chèrent sur Paris pour y chercher fortune.

Pendant un an, on n'entendit plus parler de nos
montagnards; puis, un beau matin, Mme Eyssette reçut
une lettre touchante signée « Pierrotte et sa femme,»
qui contenait 300 francs, premiers fruits de leurs économies.   La seconde année, nouvelle lettre de « Pierrotte et sa femme,» avec un envoi de 500 francs.   La
troisième année, rien. — Sans doute, les affaires ne
marchaient pas. — La quatrième année, troisième lettre
de « Pierrotte et sa femme,» avec un dernier envoi de
1,200 francs et des bénédictions pour toute la famille
Eyssette.   Malheureusement, quand cette lettre arriva
chez nous, nous étions en pleine débâcle : on venait de
vendre la fabrique, et nous aussi nous allions nous

expatrier... Dans sa douleur, Mme Eyssette oublia
de répondre à « Pierrotte et sa femme.» Depuis lors,
nous n'en eûmes plus de nouvelles, jusqu'au jour où
Jacques, arrivant à Paris, trouva le bon Pierrotte —
Pierrotte sans sa femme, hélas! — installé dans le 5
comptoir de l'ancienne maison Lalouette.

Rien de moins poétique, rien de plus touchant que
l'histoire de cette fortune. En arrivant à Paris, la
femme de Pierrotte s'était mise bravement à faire des
ménages.[1] La première maison fut justement la mai- 10
son Lalouette. Ces Lalouette étaient de riches com-
merçants avares, qui n'avaient jamais voulu prendre
ni un commis ni une bonne, parce qu'il faut tout faire
par soi-même, et qui, sur leurs vieux jours seulement,
se donnaient le luxe d'une femme de ménage à douze 15
francs par mois. Dieu sait que ces douze francs-là,
l'ouvrage les valait bien! Mais bah! la Cévenole était
jeune, alerte, rude au travail, et on s'intéressa à elle;
on la fit causer; puis, un beau jour, spontanément,
le vieux Lalouette offrit de prêter un peu d'argent à 20
Pierrotte pour qu'il pût entreprendre un petit commerce.

A ce commerce, Pierrotte ne fit pas fortune, mais il
gagna sa vie, et largement. Dès la première année,
on rendit l'argent des Lalouette et on envoya trois 25
cents francs à Mademoiselle, — c'est ainsi que Pierrotte appelait Mme Eyssette du temps qu'elle était jeune
fille, et depuis il n'avait jamais pu se décider à la
nommer autrement. — La troisième année, par exemple, ne fut pas heureuse. C'était en plein 1830.[2] C'est 30
alors que les vieux Lalouette, qui commençaient à ne
plus pouvoir tout faire par eux-mêmes, proposèrent à

Pierrotte d'entrer chez eux comme garçon de magasin.
Pierrotte accepta, mais il ne garda pas longtemps ces
modestes fonctions. Depuis leur arrivée à Paris, sa
femme lui donnait tous les soirs des leçons d'écriture
5 et de lecture. En entrant chez Lalouette, il redoubla
d'efforts, et au bout de quelques mois il pouvait suppléer au comptoir M. Lalouette devenu presque aveugle.
Sur ces entrefaites, Mlle Pierrotte vint au monde et,
dès lors, la fortune du Cévenol alla toujours croissant.
10 D'abord intéressé dans le commerce des Lalouette, il
devint plus tard leur associé; puis, un beau jour, le
père Lalouette, ayant complètement perdu la vue, se
retira du commerce et céda son fonds à Pierrotte, qui
le paya par annuités. Une fois seul, le Cévenol donna
15 une telle extension aux affaires qu'en trois ans il eut
payé les Lalouette, et se trouva à la tête d'une belle
boutique admirablement achalandée... Juste à ce
moment, comme si elle eût attendu pour mourir que
son homme n'eût plus besoin d'elle, la grande Roberte
20 tomba malade et mourut d'épuisement.

Voilà le roman de Pierrotte, tel que Jacques me le
racontait ce soir-là en nous en allant au passage du
Saumon; et comme la route était longue, je connaissais mon Cévenol à fond avant d'arriver chez lui. Je
25 savais que le bon Pierrotte était un peu bavard et fati-
gant à entendre, parce qu'il parlait lentement et ne
pouvait pas dire trois mots de suite sans y ajouter:
« C'est bien le cas de le dire[1]...» Quant à Mlle Pierrotte, tout ce que j'en pus savoir, c'est qu'elle avait
30 seize ans et qu'elle s'appelait Camille, rien de plus;
sur ce chapitre-là mon Jacques restait muet comme un
esturgeon.

Il était environ neuf heures quand nous fîmes notre entrée dans l'ancienne maison Lalouette. On allait fermer... Le gaz était éteint et tout le magasin dans l'ombre, excepté le comptoir, sur lequel posait une lampe en porcelaine éclairant des piles d'écus et une grosse face rouge qui riait. Au fond, dans l'arrière-boutique, quelqu'un jouait de la flûte.

— Bonjour, Pierrotte! cria Jacques en se campant devant le comptoir... (J'étais à côté de lui, dans la lumière de la lampe)... Bonjour, Pierrotte!

Pierrotte qui faisait sa caisse,[1] leva les yeux à la voix de Jacques; puis, en m'apercevant, il poussa un cri, joignit les mains, et resta là, stupide, la bouche ouverte, à me regarder.

— Eh bien! fit Jacques d'un air de triomphe, que vous avais-je dit?

— Oh! mon Dieu! mon Dieu! murmura le bon Pierrotte, il me semble que... C'est bien le cas de le dire. Il me semble que je la vois.

— Les yeux surtout, reprit Jacques, regardez les yeux, Pierrotte.

— Et le menton, monsieur Jacques, le menton avec la fossette, répondit Pierrotte, qui pour mieux me voir avait levé l'abat-jour de la lampe. A cet âge-là, je ressemblais beaucoup à Mme Eyssette, et pour Pier-rotte, qui n'avait pas vu Mademoiselle depuis quelques vingt-cinq ans, cette ressemblance était encore plus frappante. Le brave homme ne pouvait pas se lasser de me serrer les mains, de m'embrasser, de me regarder en riant avec ses gros yeux pleins de larmes.

— Est-ce que Camille est là-haut? demanda Jacques d'un petit air indifférent.

—Oui…oui, monsieur Jacques…la petite est là-haut… Elle languit… C'est bien le cas de le dire… Elle languit joliment de connaître M. Daniel. Montez donc la voir…je vais faire ma caisse et je vous re-joins…c'est bien le cas de le dire.

Sans en écouter davantage, Jacques me prit le bras et m'entraîna vite vers le fond, du côté où on enten-dait la flûte. Il y avait là, assis sur le bord d'un canapé-lit, un grand jeune homme blond qui jouait mélancoliquement.

—C'est le commis, me dit Jacques, quand nous fûmes dans l'escalier… Il nous assomme, ce grand blond, à jouer toujours de la flûte… Est-ce que tu aimes la flûte, toi, Daniel?

J'eus envie de lui demander: « Et la petite, l'aime-t-elle? » Mais j'eus peur de lui faire de la peine et je lui répondis très sérieusement: « Non, Jacques, je n'aime pas la flûte.»

L'appartement de Pierrotte était au quatrième étage, dans la même maison que le magasin. Mlle Camille, trop aristocrate pour se montrer à la boutique, restait en haut et ne voyait son père qu'à l'heure des repas. « Oh! tu verras! me disait Jacques en montant, c'est tout à fait sur un pied[1] de grande maison… Camille a une dame de compagnie, Mme veuve Tribou, qui ne la quitte jamais… Je ne sais pas trop d'où elle vient cette Mme Tribou, mais Pierrotte la connaît et prétend que c'est une dame de grand mérite… Sonne, Daniel, nous y voilà! » Je sonnai; une Cévenole à grande coiffe vint nous ouvrir, sourit à Jacques comme à une vieille connaissance, et nous introduisit dans le salon. Quand nous entrâmes, Mlle Pierrotte était au piano.

"MLLE PIERROTTE ÉTAIT AU PIANO."

Deux vieilles dames un peu fortes, Mme Lalouette et
la veuve Tribou, dame de grand mérite, jouaient aux
cartes dans un coin. En nous voyant, tout le monde
se leva. Il y eut un moment de trouble et de brouhaha ; puis les saluts échangés, les présentations faites, 5
Jacques invita Camille — il disait Camille tout court —
à se remettre au piano ; et la dame de grand mérite
profita de l'invitation pour continuer sa partie avec
Mme Lalouette. Nous avions pris place, Jacques et
moi, chacun d'un côté de Mlle Pierrotte, qui, tout en 10
faisant trotter ses petits doigts sur le piano, causait et
riait avec nous.

Bientôt la porte du salon s'ouvrit et Pierrotte entra
bruyamment. L'homme à la flûte venait derrière lui
avec sa flûte sous le bras. Jacques, en le voyant, dé- 15
chargea sur lui un regard foudroyant capable d'assommer un buffle ; mais il dut le manquer,[1] car le
joueur de flûte ne broncha pas.

— Eh bien ! petite, dit le Cévenol en embrassant sa
fille, comment le trouves-tu ? Il est bien gentil, n'est- 20
ce pas ? C'est bien le cas de le dire…tout le portrait
de Mademoiselle.

Et voilà le bon Pierrotte qui recommence la scène
du magasin, et m'amène de force au milieu du salon,
pour que tout le monde puisse voir les yeux de Made- 25
moiselle…le nez de Mademoiselle, le menton à fossette de Mademoiselle… Cette exhibition me gênait
beaucoup.

Heureusement que Jacques vint mettre fin à mon
supplice, en demandant à Mlle Pierrotte de nous jouer 30
quelque chose. « C'est cela, jouons quelque chose, »
dit vivement le joueur de flûte, qui s'élança, la flûte

en avant. Jacques cria : « Non...non...pas de duo,
pas de flûte ! » Sur quoi Mlle Pierrotte nous joua sans
la flûte un de ces tremolos bien connus qu'on appelle
Rêveries de Rosellen[1]... Pendant qu'elle jouait, Pier-
5 rotte pleurait d'admiration, Jacques nageait dans l'ex-
tase ; silencieux, mais la flûte aux dents, le flûtiste
battait la mesure avec ses épaules et flûtait intérieurement.

Le Rosellen fini, Mlle Pierrotte se tourna vers moi :
10 « Et vous, monsieur Daniel, me dit-elle en baissant les
yeux, est-ce que nous ne vous entendrons pas?...
Vous êtes poète, je le sais.

— Excusez-moi pour ce soir, mademoiselle, je n'ai
pas apporté ma lyre.

15 — N'oubliez pas de l'apporter la prochaine fois, me
dit le bon Pierrotte, qui prit cette métaphore au pied
de la lettre.[2] Le pauvre homme croyait très sincèrement que j'avais une lyre et que j'en jouais comme
son commis jouait de la flûte... Ah ! Jacques m'avait
20 bien prévenu qu'il m'amenait dans un drôle de monde !

Vers onze heures, on servit le thé. Mlle Pierrotte
allait, venait dans le salon, offrant le sucre, versant le
lait, le sourire sur les lèvres, le petit doigt en l'air...
Alors seulement je m'aperçus d'une chose, c'est qu'il
25 y avait en Mlle Pierrotte deux êtres très distincts :
d'abord Mlle Pierrotte, une petite bourgeoise à ban-
deaux plats, bien faite pour trôner dans l'ancienne
maison Lalouette ; et puis, les yeux noirs, ces grands
yeux poétiques qui s'ouvraient comme deux fleurs de
30 velours.

Enfin, l'heure du départ arriva. C'est Mme Lalouette
qui donna le signal. Elle roula son mari dans un grand

tartan et l'emporta sous son bras comme une vieille
momie entourée de bandelettes. Derrière eux, Pierrotte nous garda encore longtemps sur le palier à nous
faire des discours interminables.

Ce soir-là, nous nous promenâmes bien tard le long
des quais. A nos pieds, la rivière tranquille et noire
roulait comme des perles des milliers de petites étoiles.
Les amarres des gros bateaux criaient. C'était plaisir
de marcher doucement dans l'ombre et d'entendre Jacques me parler d'amour... Il aimait de toute son
âme; mais on ne l'aimait pas, il savait bien qu'on ne
l'aimait pas.

— Alors, Jacques, c'est qu'elle en aime un autre,
sans doute.

— Non, Daniel, je ne crois pas qu'avant ce soir elle
ait encore aimé personne.

— Avant ce soir! Jacques, que veux-tu dire?

— Dame! c'est que tout le monde t'aime, toi, Daniel...et elle pourrait bien t'aimer aussi.

Pauvre cher Jacques! Il faut voir de quel air triste
et résigné il disait cela. Moi, pour le rassurer je me
mis à rire bruyamment, et je dis, plus bruyamment
même que je n'en avais envie:

— Mˡˡᵉ Pierrotte est aussi loin de mon cœur que je
le suis du sien; ce n'est pas moi que tu as à craindre,
bien sûr.

Je parlais sincèrement en disant cela.

Après cette première visite à l'ancienne maison Lalouette, je restai quelque temps sans retourner *là-bas*.
Jacques, lui, continuait fidèlement ses pèlerinages.
Tous les dimanches, avant de partir, le pauvre amoureux ne manquait pas de me dire: « Je vais *là-bas*,

Daniel… viens-tu ? »   Et moi, je répondais invariable-
ment : « Non ! Jacques ! je travaille… »   Alors il s'en
allait bien vite, et je restais seul, tout seul, penché sur
l'établi aux rimes.

5   C'était de ma part un parti pris,[1] et sérieusement
pris, de ne plus aller chez Pierrotte.   J'avais peur des
yeux noirs.   Je m'étais dit : « si tu les revois tu es
perdu. »   Malheureusement j'eus l'imprudence de les
revoir encore une fois.   Ce fut fini ! ma tête, mon
10 cœur, tout y passa.   Voici dans quelles circonstances :
   Depuis la confidence du bord de l'eau, ma mère
Jacques ne m'avait plus parlé de ses amours ; mais je
voyais bien à son air que cela n'allait pas comme il
aurait voulu…   Le dimanche, quand il revenait de
15 chez Pierrotte, il était toujours triste.   La nuit je l'entendais soupirer, soupirer…   Si je lui demandais :
« Qu'est-ce que tu as, Jacques ? »   Il me répondait
brusquement : « Je n'ai rien. »   Mais je comprenais
qu'il avait quelque chose, rien qu'au ton dont il me
20 disait cela.   Lui, si bon, si patient, il avait maintenant
avec moi des mouvements d'humeur.[2]   Quelquefois il
me regardait comme si nous étions fâchés.   Je me
doutais bien, vous pensez ! qu'il y avait là-dessous
quelque gros chagrin d'amour ; mais comme Jacques
25 s'obstinait à ne pas m'en parler, je n'osais pas en parler
non plus.

   Un jour pourtant je songeais : « Si j'allais *là-bas,*
voir les choses de près…   Après tout, Jacques peut
se tromper…   Puisque Jacques n'ose pas parler de sa
30 passion, peut-être je ferais bien d'en parler pour lui…
Oui, c'est cela : j'irai, je parlerai à cette jeune Philis-
tine, et nous verrons. »

Le lendemain, sans avertir ma mère Jacques, je mis ce beau projet à exécution. Je trouvai Pierrotte à table avec sa fille et la dame de grand mérite. Quand j'entrai, il y eut une exclamation de surprise. « Enfin, le voilà! s'écria le bon Pierrotte de sa voix de tonnerre... C'est bien le cas de le dire... Il va prendre le café avec nous.» On me fit place. La dame de grand mérite alla me chercher une belle tasse à fleurs d'or, et je m'assis à côté de Mlle Pierrotte...

Comme nous achevions de prendre le café, un petit air de flûte se fit entendre dans la cour. C'était Pierrotte qu'on appelait au magasin. A peine eut-il le dos tourné, la dame de grand mérite s'en alla à son tour à l'office¹ faire un cinq cents² avec la cuisinière...

Quand je vis qu'on me laissait seul avec la petite rose rouge, je pensai: « Voilà le moment!» et vite, vite je me mis à parler de Jacques. Je commençai par dire combien il était bon, loyal, brave, généreux. Je racontai ce dévouement qui ne se lassait pas. C'est Jacques qui me nourrissait, m'habillait, me faisait ma vie, Dieu sait au prix de quel travail, de quelles privations. Sans lui, je serais encore là-bas, dans cette prison noire de Sarlande, où j'avais tant souffert, tant souffert...

A cet endroit de mon discours, Mlle Pierrotte parut s'attendrir, et je vis une grosse larme glisser le long de sa joue. Moi, bonnement, je crus que c'était pour Jacques et je me dis en moi-même: « Allons! voilà qui va bien.» Là-dessus, je redoublai d'éloquence. Je parlai des mélancolies de Jacques et de cet amour profond, mystérieux, qui lui rongeait le cœur. Ah! trois et quatre fois heureuse la femme qui...

Ici la petite rose rouge que Mlle Pierrotte avait dans les cheveux glissa je ne sais comment et vint tomber à mes pieds. Tout juste, à ce moment, je cherchais un moyen délicat de faire comprendre à la jeune Ca-
5 mille qu'elle était cette femme trois et quatre fois heureuse dont Jacques s'était épris. La petite rose rouge en tombant me fournit ce moyen. Je la ra-massai lestement, mais je me gardai bien de la rendre.

Ce soir-là, quand Jacques revint, il me trouva comme
10 à l'ordinaire penché sur l'établi aux rimes et je lui laissai croire que je n'étais pas sorti de la journée. Par malheur, en me déshabillant, la petite rose rouge que j'avais gardée dans ma poitrine roula par terre aux pieds du lit. Jacques la vit, la ramassa, et la
15 regarda longuement. Je ne sais pas qui était le plus rouge de¹ la rose rouge ou de² moi.

— Je la reconnais, me dit-il, c'est une fleur du rosier qui est *là-bas* sur la fenêtre du salon.

Puis il ajouta en me la rendant:
20 — Elle ne m'en a jamais donné, à moi.

Il dit cela si tristement que les larmes m'en vinrent aux yeux.

— Jacques, mon ami Jacques, je te jure qu'avant ce soir...
25 Il m'interrompit avec douceur: « Ne t'excuse pas, Daniel. Je suis sûr que tu n'as rien fait pour me trahir... Je le savais, je savais que c'était toi qu'elle aimait.» Là-dessus, le pauvre garçon se mit à mar-cher de long en large dans la chambre. Moi, je le
30 regardais, immobile, ma rose rouge à la main. — « Ce qui arrive devait arriver, reprit-il au bout d'un mo-ment. Il y a longtemps que j'avais prévu tout cela.

Je savais que, si elle te voyait, elle ne voudrait jamais
de moi... Voilà pourquoi j'ai si longtemps tardé à
t'amener *là-bas*. J'étais jaloux de toi par avance.
Pardonne-moi, je l'aimais tant!...»

Jacques me parla longuement avec la même dou- 5
ceur, le même sourire résigné. Tout ce qu'il disait
me faisait peine et plaisir à la fois. Peine, parce que
je le sentais malheureux; plaisir, parce que je voyais
à travers chacune de ses paroles les yeux noirs qui
me luisaient. Quand il eut fini, je m'approchai de 10
lui, un peu honteux, mais sans lâcher la petite rose
rouge: « Jacques, est-ce que tu ne vas plus m'aimer
maintenant? » Il sourit, et me serrant contre son
cœur: « Tu es bête, je t'aimerai bien davantage.»

C'est une vérité. L'histoire de la rose rouge ne 15
changea rien à la tendresse de ma mère Jacques, pas
même à son humeur. Je crois qu'il souffrit beaucoup, mais il ne le laissa jamais voir. Quant à moi,
du jour où je pus aimer les yeux noirs librement, sans
remords, je ne bougeais plus de chez Pierrotte. Dieu! 20
les bonnes heures que j'ai passées dans ce petit salon
jonquille![1] Presque toujours j'apportais un livre, un
de mes poètes favoris, et j'en lisais des passages aux
yeux noirs, qui se mouillaient de belles larmes ou
lançaient des éclairs, selon les endroits.   25

IV

Enfin, je terminai mon poème. J'en vins à bout
après quatre mois de travail, et je me souviens qu'arrivé aux derniers vers je ne pouvais plus écrire, telle-

ment les mains me tremblaient de fièvre, d'orgueil, de
plaisir, d'impatience.

Dans le clocher de Saint-Germain, ce fut un événe-
ment.   Jacques, à cette occasion, redevint pour un
5 jour le Jacques d'autrefois, le Jacques du cartonnage
et des petits pots de colle.¹ Il me relia un magnifique cahier sur lequel il voulut recopier mon poème
de sa propre main ; et c'étaient à chaque vers des cris
d'admiration,   des trépignements d'enthousiasme...
10 Moi, j'avais moins de confiance dans mon œuvre.
Jacques m'aimait trop ; je me méfiais de lui. J'aurais voulu faire lire mon poème à quelqu'un d'impar-
tial et de sûr.   Mais je ne connaissais personne.

Pourtant, à la crémerie, les occasions ne m'avaient
15 pas manqué de faire des connaissances. Depuis que
nous étions riches, je mangeais à table d'hôte, dans
la salle du fond.   Il y avait·là une vingtaine de jeunes
gens, des écrivains, des peintres, des architectes, ou
pour mieux dire de la graine de tout cela. — Aujour-
20 d'hui la graine a monté ; quelques-uns de ces jeunes
gens sont devenus célèbres, et quand je vois leurs
noms dans les journaux, cela me crève le cœur, moi
qui ne suis rien.

Une fois par semaine, nous avions à dîner avec nous
25 un poète très fameux dont je ne me rappelle plus le
nom, mais que ces messieurs appelaient Baghavat, du
titre d'un de ses poèmes. Ah ! quand le poète ré-
citait *Baghavat,* on hurlait, on trépignait, on montait
sur les tables.   J'avais à ma droite un petit architecte
30 à nez rouge qui sanglotait dès le premier vers et tout
le temps s'essuyait les yeux avec ma serviette...

Moi, par entraînement, je criais plus fort que tout le

monde : mais, au fond, je n'étais pas fou de Baghavat.
En somme, ces poèmes indiens se ressemblaient tous.
C'était toujours un lotus, un condor, un éléphant et un
buffle ; quelquefois, pour changer, les lotus s'appelaient
lotos ; mais toutes ces rapsodies se valaient :[1] ni passion,   5
ni vérité, ni fantaisie. Des rimes sur des rimes. Une
mystification... Voilà ce qu'en moi-même je pensais
du grand Baghavat ; et je l'aurais peut-être jugé avec
moins de sévérité si on m'avait à mon tour demandé
quelques vers ; mais on ne me demandait rien, et cela 10
me rendait impitoyable... Du reste, je n'étais pas le
seul de mon avis sur la poésie hindoue. J'avais mon
voisin de gauche qui n'y mordait[2] pas non plus... Un
singulier personnage, mon voisin de gauche. C'était
le plus vieux de la table et de beaucoup aussi le plus 15
intelligent. Comme tous les grands esprits, il parlait
peu. Chacun le respectait. On disait de lui : « Il est
très fort...c'est un penseur.» Moi, de voir la grimace ironique qui tordait sa bouche en écoutant les
vers du grand Baghavat, j'avais conçu de mon voisin 20
de gauche la plus haute opinion. Je pensais : « Voilà
un homme de goût... Si je lui lisais mon poème ! »

Un soir — comme on se levait de table — je fis apporter un flacon d'eau-de-vie, et j'offris au penseur de
prendre un petit verre avec moi. Il accepta, je con- 25
naissais son vice. Tout en buvant, j'amenai la conversation sur le grand Baghavat, et je commençai par
dire beaucoup de mal des lotus, des condors, des élé-
phants et des buffles. — Pendant que je parlais, le
penseur se versait de l'eau-de-vie sans rien dire. De 30
temps en temps, il souriait et remuait approbativement la tête en faisant : « Oua...oua...» Enhardi

par ce premier succès, je lui avouai que moi aussi
j'avais composé un grand poème, et que je désirais
le lui soumettre. « Oua...oua...» fit encore le penseur sans sourciller.   En voyant mon homme si bien
5 disposé, je me dis : « C'est le moment ! » et je tirai
mon poème de ma poche.   Le penseur, sans s'émouvoir, se versa un cinquième petit verre, me regarda
tranquillement dérouler mon manuscrit ; mais au moment suprême, il posa sa main sur ma manche : « Un
10 mot, jeune homme, avant de commencer... Quel est
votre criterium ? »

Je le regardai avec inquiétude.

— Votre criterium !...fit le terrible penseur en haussant la voix...   Quel est votre criterium ?

15 Hélas ! mon criterium !...je n'en avais pas, je n'avais
jamais songé à en avoir un ; et cela se voyait du reste,
à mon œil étonné, à ma rougeur, à ma confusion.

Le penseur se leva indigné : « Comment ! malheureux jeune homme, vous n'avez pas de criterium !...
20 Inutile alors de me lire votre poème...je sais d'avance
ce qu'il vaut.»   Là-dessus, il se versa coup sur coup
deux ou trois petits verres qui restaient encore au fond
de la bouteille, prit son chapeau et sortit en roulant des
yeux furibonds.

25 Le soir, quand je contai mon aventure à l'ami Jac-
ques, il entra dans une belle colère. | « Ton penseur
est un imbécile, me dit-il...   Qu'est-ce que cela fait
d'avoir un criterium ?...   Un criterium ! qu'est-ce que
c'est que ça ?...   Où ça se fabrique-t-il ? A-t-on ja-
30 mais vu ? »   Mon brave Jacques ! il en avait les larmes
aux yeux, de l'affront que mon chef-d'œuvre et moi
nous venions de subir.   « Écoute, Daniel ! reprit-il au

bout d'un moment, j'ai une idée... Puisque tu veux
lire ton poème, si tu le lisais chez Pierrotte, un dimanche?...

— Chez Pierrotte?... Oh! Jacques!

— Pourquoi pas?... Dame! Pierrotte n'est pas un 5
aigle, mais ce n'est pas une taupe non plus. Il a le
sens très net, très droit... Camille, elle, serait un
juge excellent, quoiqu'un peu prévenu... La dame de
grand mérite a beaucoup lu... D'ailleurs Pierrotte
connaît à Paris des personnes très distinguées qu'on 10
pourrait inviter pour ce soir-là... Qu'en dis-tu?
Veux-tu que je lui en parle?...

Cette idée d'aller chercher des juges au passage du
Saumon ne me souriait guère; pourtant j'avais une
telle démangeaison de lire mes vers, qu'après avoir un 15
brin rechigné, j'acceptai la proposition de Jacques. Dès
le lendemain il parla à Pierrotte. Que le bon Pierrotte
eût exactement compris ce dont il s'agissait, voilà ce
qui est fort douteux; mais comme il voyait là une occasion d'être agréable aux enfants de mademoiselle, 20
le brave homme dit « oui » sans hésiter, et tout de
suite on lança des invitations.

Jamais le petit salon jonquille ne s'était trouvé à
pareille fête. Pierrotte, pour me faire honneur, avait
invité ce qu'il y a de mieux dans le monde de la por- 25
celaine. Quand je me vis en face de cet important
auditoire, vous pensez si je fus ému. Comme on leur
avait dit qu'ils étaient là pour juger un ouvrage de
poésie, tous ces braves gens avaient cru devoir prendre
des physionomies de circonstance,[1] froides, sans sou- 30
rires. Ils parlaient entre eux à voix basse et gravement, en remuant la tête comme des magistrats. Après

un moment de tumulte, le silence se fit, et d'une voix émue je commençai mon poème...

C'était un poème dramatique, pompeusement intitulé *Les Aventures d'un Papillon bleu: Comédie pastorale.* Au dernier vers de mon poème, Jacques, enthousiasmé, se leva pour crier bravo ; mais il s'arrêta net en voyant la mine effarée de tous ces braves gens.

En vérité, je crois que le cheval de feu de l'Apocalypse,[1] faisant irruption au milieu du petit salon jonquille, n'y aurait pas causé plus de stupeur que mon papillon bleu. Tous me regardaient avec de gros yeux ronds, se faisant des signes. Personne ne soufflait mot. Pensez comme j'étais à l'aise...

Jacques me consolait en me disant : « N'importe, c'est un chef-d'œuvre. Cherchons un éditeur.» En ce temps-là,— je ne sais pas si c'est encore la même chose aujourd'hui,— MM.[2] les éditeurs étaient des gens très doux, très polis, très généreux, très accueillants ; mais ils avaient un défaut capital : on ne les trouvait jamais chez eux.

Dieu ! que j'en ai couru de ces boutiques ! que j'en ai fait de ces stations aux devantures des libraires, à me dire, le cœur battant : « Entrerai-je ? n'entrerai-je pas ? »... Chaque soir, je revenais à la maison, triste, las, énervé. « Courage ! me disait Jacques, tu seras plus heureux demain. Et, le lendemain, je me remettais en campagne, armé de mon manuscrit ! De jour en jour, je le sentais devenir plus pesant, plus incommode. D'abord je le portais sous mon bras, fièrement, comme un parapluie neuf ; mais à la fin j'en avais honte, et je le mettais dans ma poitrine, avec ma redingote soigneusement boutonnée par-dessus.

Huit jours se passèrent ainsi. Le dimanche arriva.
Jacques, selon sa coutume, alla dîner chez Pierrotte;
mais il y alla seul. J'étais si las, que je restai couché
tout le jour... Le soir, en rentrant, il vint s'asseoir
au bord de mon lit et me gronda doucement : 5

— Écoute, Daniel! tu as bien tort de ne pas aller
là-bas. Les yeux noirs pleurent, se désolent; ils
meurent de ne pas te voir... Nous avons parlé de
toi toute la soirée...

— Et Pierrotte? demandai-je timidement. Pier- 10
rotte, qu'est-ce qu'il dit?...

— Rien... Il a seulement paru très étonné de ne
pas te voir... Il faut y aller, mon Daniel; tu iras,
n'est-ce pas?

— Dès demain, Jacques; je te le promets. 15

Le lendemain, dans l'après-midi, je m'en allai passage du Saumon. J'aurais voulu monter tout droit au
quatrième et parler aux yeux noirs avant de voir Pierrotte; mais le Cévenol me guettait à la porte du passage, et je ne pus pas l'éviter. Il fallut entrer dans 20
la boutique et m'asseoir à côté de lui, derrière le
comptoir. De temps en temps, un petit air de flûte
nous arrivait discrètement de l'arrière-magasin.

— Monsieur Daniel, me dit le Cévenol avec une assurance de langage et une facilité d'élocution que je 25
ne lui avais jamais connues, ce que je veux savoir de
vous est très simple, et je n'irai pas par quatre chemins.
C'est bien le cas de le dire...la petite vous aime...
Est-ce que vous l'aimez vraiment, vous aussi?

— De toute mon âme, monsieur Pierrotte. 30

— Alors, tout va bien. Voici ce que j'ai à vous pro-
poser... Vous êtes trop jeune et la petite aussi pour

songer à vous marier d'ici trois ans. C'est donc trois
années que vous avez devant vous pour vous faire une
position... Je ne sais pas si vous comptez rester toujours dans le commerce des papillons bleus; mais je
5 sais bien ce que je ferais à votre place... C'est bien
le cas de le dire, j'entrerais dans l'ancienne maison
Lalouette, et je m'arrangerais pour que, dans trois
ans, Pierrotte, qui devient vieux, pût trouver en moi
un associé en même temps qu'un gendre... Hein?
10 Qu'est-ce que vous dites de ça, compère?

Là-dessus, Pierrotte se mit à rire... Bien sûr qu'il
croyait me combler de joie, le pauvre homme, en
m'offrant de vendre de la porcelaine à ses côtés. Je
n'eus pas le courage de me fâcher, pas même celui de
15 répondre; j'étais atterré...

Pierrotte crut que l'émotion et la joie m'avaient
coupé la parole.

— Nous causerons de cela ce soir, me dit-il pour
me donner le loisir de me remettre... Maintenant.
20 montez vers la petite... C'est bien le cas de le dire...
le temps doit lui sembler long.

Je montai vers la petite, que je trouvai installée dans
le salon jonquille, à broder ses éternelles pantoufles
en compagnie de la dame de grand mérite...

25 Presque sur mes talons, Pierrotte fit son entrée. Il
était très gai, très bavard, insupportable; les « c'est
bien le cas de le dire » pleuvaient plus drus que giboulée. Dîner bruyant, beaucoup trop long... En
sortant de table, Pierrotte me prit à part pour me rap-
30 peler sa proposition. J'avais eu le temps de me remettre,
et je lui dis avec assez de sang-froid que la chose demandait réflexion et que je lui répondrais dans un mois.

Le Cévenol fut certainement très étonné de mon peu d'empressement à accepter ses offres, mais il eut le bon goût de n'en rien laisser paraître.

— C'est entendu, me dit-il, dans un mois. Et il ne fut plus question de rien... N'importe! le coup était porté. Pendant toute la soirée, le sinistre et fatal « Tu vendras de la porcelaine » retentit à mon oreille.

Lorsqu'au retour de cette ennuyeuse soirée, je racontai à ma mère Jacques les propositions de Pierrotte, il en fut encore plus indigné que moi:

— Daniel Eyssette, marchand de porcelaine!... Par exemple, je voudrais bien voir cela! disait le brave garçon, tout rouge de colère... C'est comme si on proposait à Lamartine[1] de vendre des paquets d'allumettes, ou à Sainte-Beuve[2] de débiter des petits balais de crin... Vieille bête de Pierrotte, va!... Après tout, il ne faut pas lui en vouloir; il ne sait pas, ce pauvre homme. Quand il verra le succès de ton livre et les journaux tout remplis de toi, il changera joliment de gamme.[3]

— Sans doute, Jacques; mais pour que les journaux parlent de moi, il faut que mon livre paraisse, et je vois bien qu'il ne paraîtra pas... Pourquoi?... Mais, mon cher, parce que je ne peux pas mettre la main sur un éditeur et que ces gens-là ne sont jamais chez eux pour les poètes. Le grand Baghavat[4] lui-même est obligé d'imprimer ses vers à ses frais.

— Eh bien! nous ferons comme lui, dit Jacques en frappant du poing sur la table; nous imprimerons à nos frais.

Je le regarde avec stupéfaction:

— A nos frais...

— Oui, mon petit, à nos frais… Tout juste, le marquis fait imprimer en ce moment le premier volume
de ses mémoires… Je vois son imprimeur tous les
jours… C'est un Alsacien qui a le nez rouge et l'air
5 bon enfant.[1] Je suis sûr qu'il nous fera crédit… Pardieu! nous le payerons, à mesure que ton volume se
vendra… Allons! dès demain je vais voir mon
homme.

Effectivement Jacques, le lendemain, va trouver l'im-
10 primeur et revient enchanté : « C'est fait, me dit-il d'un
air de triomphe ; on met ton livre à l'impression demain.
Cela nous coûtera neuf cents francs, une bagatelle. Je
ferai des billets de trois cents francs, payables de trois
mois en trois mois. Maintenant, suis bien mon raison-
15 nement. Nous vendons le volume trois francs, nous
tirons à mille exemplaires ;[2] c'est donc trois mille francs
que ton livre doit nous rapporter… tu m'entends bien,
trois mille francs. Là-dessus, nous payons l'imprimeur,
plus la remise d'un franc par exemplaire aux libraires
20 qui vendront l'ouvrage… Il nous restera un bénéfice
de onze cents francs. Hein ? C'est joli pour un début…»

Après quelques semaines, mon livre parut. Ce soir-
là, avant de rentrer, nous allâmes rôder dans les galeries de l'Odéon[3] pour juger de l'effet que la *Comédie*
25 *pastorale* faisait à l'étalage des libraires.

— Attends-moi, me dit Jacques ; je vais voir combien
on en a vendu.

Je l'attendis en me promenant de long en large.
Jacques vint me rejoindre au bout d'un moment ; il
30 était pâle d'émotion.

— Mon cher, me dit-il, on en a déjà vendu un. C'est
de bon augure…

Je lui serrai la main silencieusement. J'étais trop ému pour parler; mais je me disais: « Il y a quelqu'un à Paris qui vient de tirer trois francs de sa bourse pour acheter cette production de ton cerveau, quelqu'un qui te lit, qui te juge... Quel est ce quelqu'un? Je voudrais bien le connaître...

Le lendemain de l'apparition de mon volume, j'étais en train de déjeuner à table d'hôte à côté du farouche penseur, quand Jacques, très essoufflé, se précipita dans la salle:

— Grande nouvelle! me dit-il en m'entraînant dehors; je pars ce soir, à sept heures, avec le marquis... Nous allons à Nice voir sa sœur, qui est mourante... Peut-être resterons-nous longtemps... Ne t'inquiète pas de ta vie... Le marquis double mes appointements. Je pourrai t'envoyer cent francs par mois.. Je cours dire adieu à Pierrotte, prévenir l'imprimeur, faire porter les exemplaires aux journalistes... Je n'ai pas une minute... Rendez-vous à la maison à cinq heures.

Je le regardai descendre la rue Saint-Benoît à grandes enjambées, puis je rentrai dans le restaurant; mais je ne pus rien manger ni boire. L'idée que dans quelques heures ma mère Jacques serait loin m'étreignait le cœur. J'avais beau songer à mon livre, aux yeux noirs, rien ne pouvait me distraire de cette pensée que Jacques allait partir et que je resterais seul, tout seul dans Paris, maître de moi-même et responsable de toutes mes actions.

Il me rejoignit à l'heure dite. Quoique très ému lui-même, il affecta jusqu'au dernier moment la plus grande gaieté. Jusqu'au dernier moment aussi il me montra la générosité de son âme et l'ardeur admirable qu'il mettait à m'aimer. Il ne songeait qu'à moi, à mon bien-être, à ma vie.

Quand tout fut prêt, on envoya chercher une voiture, et nous partîmes pour la gare.

Le marquis s'y trouvait déjà. Je vis de loin ce drôle de petit homme, avec sa tête de hérisson blanc, sautillant de long en large dans une salle d'attente.

— Vite, vite, adieu! me dit Jacques. Et prenant ma tête dans ses larges mains, il m'embrassa trois ou quatre fois de toutes ses forces, puis courut rejoindre son bourreau.

En le voyant disparaître, j'éprouvai une singulière sensation.

Je me trouvai tout à coup plus petit, plus chétif, plus timide, plus enfant, comme si mon frère, en s'en allant, m'avait emporté la moelle de mes os, ma force, mon audace et la moitié de ma taille. La foule qui m'entourait me faisait peur. J'étais redevenu le petit Chose...

La nuit tombait. Lentement, par le plus long chemin, par les quais les plus déserts, le petit Chose regagna son clocher.

V

Daniel, qui est maintenant livré à lui-même, fait folies sur folies. Malgré l'envoi de cent francs par mois, le petit Chose trouve moyen de faire des dettes. Il se laisse entraîner dans de mauvaises sociétés, devient même comédien ambulant. Une lettre de Pierrotte informe la mère Jacques de la conduite du petit Chose. Jacques quitte le marquis, court à Paris, va aussitôt chez Pierrotte et lui demande quinze cents francs pour payer les dettes de son frère.

Cela fait, il se met à la recherche de Daniel. Mais où le trouver? Au fond d'un tiroir il découvre un chiffon de lettre où il est parlé d'un engagement au théâtre de Montparnasse. Cette indication lui suffit; il court au théâtre et arrache son frère à cette vie de dégradation. Le petit Chose est triste en songeant aux tourments qu'il 5 cause à son frère. Que va-t-il devenir? Il finit cependant par trouver une place comme instituteur et cela lui donne un peu de courage. Malheureusement, à quelque temps de là, Jacques tombe malade et après quelques semaines, il meurt. L'enterrement a lieu pendant un temps horrible et le petit Chose attrape de nouveau 10 une fièvre. Pierrotte le transporte à la maison Lalouette.

Oui, le petit Chose est malade; le petit Chose va mourir... Devant le passage du Saumon, une large litière de paille qu'on renouvelle tous les deux jours fait dire aux gens de la rue: « Il y a là-haut quelque 15 vieux richard en train de mourir...» Ce n'est pas un vieux richard qui va mourir, c'est le petit Chose... Tous les médecins l'ont condamné.[1] Deux fièvres typhoïdes en deux ans, c'est beaucoup trop pour ce cervelet d'oiseau-mouche! 20

Il faut voir quelle consternation dans l'ancienne maison Lalouette! Pierrotte ne dort plus; les yeux noirs se désespèrent. Le salon jonquille est condamné, le piano mort, la flûte enclouée. Mais le plus navrant de tout, oh! le plus navrant c'est une petite robe noire 25 assise dans un coin de la maison, et tricotant du matin au soir, sans rien dire, avec de grosses larmes qui lui coulent.

Or, tandis que l'ancienne maison Lalouette se lamente ainsi nuit et jour, le petit Chose est bien tran- 30 quillement couché dans un grand lit de plume, sans se douter des pleurs qu'il fait répandre autour de lui. Il a les yeux ouverts, mais il ne voit rien; les objets ne

vont pas jusqu'à son âme. Il n'entend rien non plus,
rien qu'un bourdonnement sourd, un roulement confus.
Il ne parle pas, il ne pense pas : vous diriez une fleur
malade. Pourvu qu'on lui tienne une compresse d'eau
5 fraîche sur la tête et un morceau de glace dans la
bouche, c'est tout ce qu'il demande. Quand la glace est
fondue, quand la compresse est desséchée au feu de
son crâne, il pousse un grognement : c'est toute sa
conversation.

10 Plusieurs jours se passent ainsi, puis subitement, un
beau matin, le petit Chose éprouve une sensation singulière. Il semble qu'on vient de le tirer du fond de la
mer. Ses yeux voient, ses oreilles entendent. Il res-
pire ; il reprend pied... La machine à penser, qui
15 dormait dans un coin du cerveau avec ses rouages fins
comme des cheveux de fée, se réveille et se met en
branle ; d'abord lentement, puis un peu plus vite, puis
avec une rapidité folle. Les idées se croisent, s'enche-
vêtrent comme des fils de soie : « Où suis-je, mon
20 Dieu ?... Qu'est-ce que c'est que ce grand lit ?... Et
ces trois dames, là-bas, près de la fenêtre, qu'est-ce
qu'elles font ?... Cette petite robe noire qui me tourne
le dos, est-ce que je ne la connais pas ?... On dirait
que... » Et pour mieux regarder cette robe noire qu'il
25 croit reconnaître, péniblement le petit Chose se soulève
sur son coude et se penche hors du lit. Oh ! maintenant le petit Chose se rappelle. La mort de Jacques,
l'enterrement, l'arrivée chez Pierrotte, il revoit tout, il
se souvient de tout. Hélas ! en renaissant à la vie, le
30 malheureux enfant vient de renaître à la douleur ; et
sa première parole est un gémissement...

A ce gémissement, les trois femmes qui travaillaient

là-bas, près de la fenêtre, ont tressailli. Une d'elles, la plus jeune, se lève en criant : « De la glace ! de la glace ! » Et vite elle court à la cheminée prendre un morceau de glace qu'elle vient présenter au petit Chose ; mais le petit Chose n'en veut pas... Doucement il repousse la main qui cherche ses lèvres, mais d'une voix qui tremble, il dit :

— Bonjour, Camille !...

Camille Pierrotte est si surprise d'entendre parler le moribond qu'elle reste là tout interdite, le bras tendu, la main ouverte, avec son morceau de glace claire qui tremble au bout de ses doigts roses de froid.

— Bonjour, Camille ! reprend le petit Chose. Oh ! je vous reconnais bien... Et vous ? est-ce que vous me voyez ?... Est-ce que vous pouvez me voir ?

Camille Pierrotte ouvre de grands yeux :

— Si je vous vois, Daniel !... Je crois bien que je vous vois !...

Alors le petit Chose reprend courage et se hasarde à faire d'autres questions :

— J'ai été bien malade, n'est-ce pas, Camille ?

— Oh ! oui, Daniel, bien malade...

— Est-ce que je suis couché depuis longtemps ?...

— Il y aura demain trois semaines...

— Miséricorde ! trois semaines !... Déjà trois semaines que ma pauvre mère Jacques...

Il n'achève pas sa phrase et cache sa tête dans l'oreiller en sanglotant.

...A ce moment, Pierrotte entre dans la chambre ; il amène un nouveau médecin. Celui-ci est l'illustre docteur *Broum-Broum,* un gaillard qui va vite en besogne et ne s'amuse pas à boutonner ses gants au chevet

des malades.   Il s'approche du petit Chose, lui tâte
le pouls, lui regarde les yeux et la langue, puis se
tournant vers Pierrotte:

— Qu'est-ce que vous me chantiez[1] donc?... Mais
il est guéri, ce garçon-là!...

— Guéri! fait le bon Pierrotte en joignant les mains.

— Si bien guéri que vous allez me jeter tout de suite
cette glace par la fenêtre et donner à votre malade une
aile de poulet... Allons! ne vous désolez plus, ma
petite demoiselle; dans huit jours, ce jeune trompe-la-
mort[2] sera sur pied, c'est moi qui vous en réponds...
D'ici là, gardez-le bien tranquille dans son lit; évitez-
lui toute émotion, toute secousse; c'est le point essentiel... Pour le reste, laissons faire la nature: elle
s'entend à soigner mieux que vous et moi...

Ayant ainsi parlé, l'illustre docteur *Broum-Broum*
donne une chiquenaude au jeune trompe-la-mort, un
sourire à Mlle Camille, et s'éloigne lestement, escorté
du bon Pierrotte qui pleure de joie et répète tout le
temps: « Ah! monsieur le docteur, c'est bien le cas
de le dire...c'est bien le cas de le dire...»

Derrière eux, Camille veut faire dormir le malade;
mais il s'y refuse avec énergie:

— Ne vous en allez pas, Camille, je vous en prie...
Ne me laissez pas seul... Comment voulez-vous que
je dorme avec le gros chagrin que j'ai?

— Si, Daniel, il le faut... Il faut que vous dor-
miez... Vous avez besoin de repos; le médecin l'a
dit... Voyons! soyez raisonnable, fermez les yeux et
ne pensez à rien... Tantôt je viendrai vous voir
encore; et, si vous avez dormi, je resterai bien longtemps.

— Je dors... je dors... dit le petit Chose en fermant les yeux. Puis se ravisant : — Encore un mot, Camille !... Quelle est donc cette petite robe noire que j'ai aperçue ici tout à l'heure ?

— Une robe noire !...

— Mais, oui ! vous savez bien ! cette petite robe noire qui travaillait là-bas avec vous près de la fenêtre... Maintenant, elle n'y est plus... Mais tout à l'heure je l'ai vue, j'en suis sûr...

— Oh ! non ! Daniel, vous vous trompez... J'ai travaillé ici toute la matinée avec Mme Tribou, votre vieille amie Mme Tribou, vous savez ! celle que vous appeliez la dame de grand mérite. Mais Mme Tribou n'est pas en noir... elle a toujours sa même robe verte... Non ! sûrement, il n'y a pas de robe noire dans la maison... Vous avez dû rêver cela... Allons ! Je m'en vais... Dormez-bien...

Là-dessus, Camille Pierrotte s'en va vite, toute confuse et le feu aux joues, comme si elle venait de mentir.

Le petit Chose reste seul ; mais il n'en dort pas mieux... Il pense à son bien-aimé qui dort dans l'herbe de Montmartre ;[1] il pense aux yeux noirs aussi, à ces belles lumières sombres que la Providence semblait avoir allumées exprès pour lui et qui maintenant...

Ici, la porte de la chambre s'entr'ouvre doucement, doucement, comme si quelqu'un voulait entrer ; mais presque aussitôt on entend Camille Pierrotte dire à voix basse :

— N'y allez pas... L'émotion va le tuer, s'il se réveille...

Et voilà la porte qui se referme doucement, douce-

ment, comme elle s'était ouverte.   Par malheur, un pan
de robe noire se trouve pris dans la rainure ; et ce pan
de robe, de son lit le petit Chose l'aperçoit...

Du coup son cœur bondit ; ses yeux s'allument, et,
5 se dressant sur son coude, il se met à crier bien fort :
« Mère ! mère ! pourquoi ne venez-vous pas m'embrasser ?...»

Aussitôt la porte s'ouvre.   La petite robe noire se
précipite dans la chambre ; mais au lieu d'aller vers le
10 lit, elle va droit à l'autre bout de la pièce, les bras ouverts, en appelant :

— Daniel ! Daniel !

— Par ici, mère...crie le petit Chose, qui lui tend
les bras en riant...   Par ici ; vous ne me voyez donc
15 pas ?...

Et alors Mme Eyssette, à demi tournée vers le lit,
tâtonnant dans l'air autour d'elle avec ses mains qui
tremblent, répond d'une voix navrante :

— Hélas ! non ! mon cher trésor, je ne te vois pas...
20 Jamais plus je ne te verrai...   Je suis aveugle !

En entendant cela, le petit Chose pousse un grand
cri et tombe à la renverse sur son oreiller...

Certes, qu'après vingt ans de misères et de souffrances, deux enfants morts, son foyer détruit, son
25 mari loin d'elle, la pauvre mère Eyssette ait ses yeux
divins tout brûlés par les larmes, il n'y a rien là-de-
dans de bien extraordinaire...   Mais pour le petit
Chose, quel dernier coup terrible la destinée lui tenait
en réserve !   Est-ce qu'il ne va pas en mourir de celui-
30 là ?...

Eh bien ! non !...le petit Chose ne mourra pas.   Il
ne faut pas qu'il meure.   Derrière lui, que deviendrait

la pauvre mère aveugle ? Où trouverait-elle des larmes
pour pleurer ce troisième fils ? Que deviendrait le
père Eyssette, qui n'a pas même le temps de venir embrasser son enfant malade, ni de porter une fleur à
son enfant mort ? Qui reconstruirait le foyer, ce beau
foyer de famille où les deux vieux viendront un jour
chauffer leurs pauvres mains glacées ?... Non ! non !
le petit Chose ne veut pas mourir. Il se cramponne à
la vie, au contraire, et de toutes ses forces...

Autour de lui, toute la maison Lalouette s'empresse
silencieuse. Mᵐᵉ Eyssette passe ses journées au pied
du lit, avec son tricot ; la chère aveugle a tellement
l'habitude des longues aiguilles qu'elle tricote aussi
bien que du temps de ses yeux. La dame de grand
mérite est là, elle aussi ; puis, à tout moment on voit
paraître à la porte la bonne figure de Pierrotte.

Et Mˡˡᵉ Pierrotte ? On n'en parle pas ! Est-ce qu'elle
ne serait plus dans la maison ?... Si, toujours : seulement, depuis que le malade est hors de danger, elle
n'entre presque jamais dans sa chambre. Quand elle
y vient, c'est en passant, pour prendre l'aveugle et la
mener à table ; mais le petit Chose, jamais un mot...
Ah ! qu'il est loin le temps de la rose rouge, le temps
où, pour dire : « Je vous aime,» les yeux noirs s'ouvraient comme deux fleurs de velours ! Dans son lit,
le malade soupire, en pensant à ces bonheurs envolés.
Il voit bien qu'on ne l'aime plus, qu'on le fuit, qu'il
fait horreur ; mais c'est lui qui l'a voulu. Il n'a pas
le droit de se plaindre. Et pourtant, c'eût été si bon,
au milieu de tant de deuils et de tristesses, d'avoir un
peu d'amour pour se chauffer le cœur ! c'eût été si
bon de pleurer sur une épaule amie !... « Enfin !...

le mal est fait, se dit le pauvre enfant. Il ne s'agit
plus d'être heureux dans la vie; il s'agit de faire son
devoir... Demain, je parlerai à Pierrotte.»

En effet, le lendemain, à l'heure où le Cévenol tra-
5 verse la chambre à pas de loup[1] pour descendre au
magasin, le petit Chose, qui est là depuis l'aube à
guetter derrière ses rideaux, appelle doucement.

« Monsieur Pierrotte! monsieur Pierrotte! »

Pierrotte s'approche du lit; et alors le malade, très
10 ému, sans lever les yeux:

— Voici que je m'en vais sur ma guérison,[2] mon bon
monsieur Pierrotte, et j'ai besoin de causer sérieusement avec vous. Je ne veux pas vous remercier de ce
que vous faites pour ma mère et pour moi...

15 Vive interruption du Cévenol: « Pas un mot là-
dessus, monsieur Daniel! tout ce que je fais, je devais
le faire. C'était convenu avec M. Jacques.

— Oui! je sais, Pierrotte, je sais qu'à tout ce qu'on
veut vous dire sur ce chapitre vous faites toujours la
20 même réponse... Aussi n'est-ce pas de cela que je
vais vous parler. Au contraire, si je vous appelle, c'est
pour vous demander un service. Votre commis va vous
quitter bientôt; voulez-vous me prendre à sa place?
Oh! je vous en prie, Pierrotte, écoutez-moi jusqu'au
25 bout; ne me dites pas non, sans m'avoir écouté jusqu'au bout... Je le sais, après ma lâche conduite,
je n'ai plus le droit de vivre au milieu de vous.
Il y a dans la maison quelqu'un que ma présence
fait souffrir, quelqu'un à qui ma vue est odieuse,
30 et ce n'est que justice!... Mais si je m'arrange
pour qu'on ne me voie jamais, si je m'engage à ne
jamais monter ici, si je reste toujours au magasin,

est-ce qu'à ces conditions-là vous ne pourriez pas m'accepter?

Pierrotte a bonne envie de prendre dans ses grosses mains la tête frisée du petit Chose et de l'embrasser bien fort; mais il se contient et répond tranquille- 5 ment:

— Dame! écoutez, monsieur Daniel, avant de rien dire, j'ai besoin de consulter la petite... Moi, votre proposition me convient assez; mais je ne sais pas si la petite... Du reste, nous allons voir. Elle doit 10 être levée... Camille! Camille!

Camille Pierrotte, matinale comme une abeille, est en train d'arroser son rosier rouge sur la cheminée du salon. Elle arrive, fraîche, gaie, sentant les fleurs.

— Tiens! petite, lui dit le Cévenol, voilà M. Daniel 15 qui demande à entrer chez nous pour remplacer le commis... Seulement, comme il pense que sa présence ici te serait trop pénible...

— Trop pénible! interrompit Camille Pierrotte en changeant de couleur. 20

Elle n'en dit pas plus long; mais les yeux noirs achèvent sa phrase. Oui! les yeux noirs eux-mêmes se montrent devant le petit Chose, profonds comme la nuit, lumineux comme les étoiles, en criant: « Amour! amour! » avec tant de passion et de flamme que le 25 pauvre malade en a le cœur incendié.

Alors Pierrotte dit en riant sous cape:

— Dame! Expliquez-vous tous les deux...il y a quelque malentendu là-dessous.

Et il s'en va tambouriner sur les vitres; puis quand 30 il croit que les enfants se sont suffisamment expliqués, — oh! mon Dieu! c'est à peine s'ils ont eu le temps de se dire trois paroles! — il s'approche d'eux et les regarde :   .

— Eh bien?

— Ah! Pierrotte, dit le petit Chose en lui tendant
5 les mains, elle est aussi bonne que vous...elle m'a pardonné!

A partir de ce moment, la convalescence du malade marche avec des bottes de sept lieues... Je crois bien! les yeux noirs ne bougent plus de la chambre.
10 On passe les journées à faire des projets d'avenir. On parle de mariage, de foyer à reconstruire. On parle aussi de la chère mère Jacques, et son nom fait encore verser de belles larmes. Mais c'est égal! il y a de l'amour dans l'ancienne maison Lalouette. Cela se
15 sent. Et si quelqu'un s'étonne que l'amour puisse fleurir ainsi dans le deuil et dans les larmes, je lui dirai d'aller voir aux cimetières toutes ces jolies fleurettes qui poussent entre les fentes des tombeaux.

D'ailleurs, n'allez pas croire que la passion fasse
20 oublier son devoir au petit Chose. Pour si bien[1] qu'il soit dans son grand lit, entre Mme Eyssette et les yeux noirs, il a hâte d'être guéri, de se lever, de descendre au magasin. Non, certes, que la porcelaine le tente beaucoup; mais il languit de commencer cette vie de
25 dévouement et de travail dont la mère Jacques lui a donné l'exemple. Quant à la Muse, on n'en parle plus. Daniel Eyssette aime toujours les vers, mais pas les siens; et le jour où l'imprimeur, fatigué de garder chez lui les neuf cent quatre-vingt-dix-neuf
30 volumes de la *Comédie pastorale,* les renvoie au passage du Saumon, le malheureux ancien poète a le courage de dire:

— Il faut brûler tout ça.

A quoi Pierrotte, plus avisé, répond :

— Brûler tout ça !…ma foi non !…j'aime bien
mieux le garder au magasin. J'en trouverai l'emploi… C'est bien le cas de le dire… J'ai tout juste
prochainement un envoi de coquetiers à faire à Mada-
gascar. Il paraît que dans ce pays-là, depuis qu'on a
vu la femme d'un missionnaire anglais manger des
œufs à la coque, on ne veut plus manger les œufs
autrement… Avec votre permission, monsieur Daniel, vos livres serviront à envelopper mes coquetiers.

…Et maintenant, lecteur, avant de clore cette histoire, je veux encore une fois t'introduire dans le salon
jonquille. C'est par une après-midi de dimanche, un
beau dimanche d'hiver, — froid sec et grand soleil.
Toute la maison Lalouette rayonne. Le petit Chose
est complètement guéri et vient de se lever pour la
première fois. Maintenant on est au salon, tous ré-
unis. Il fait bon ; la cheminée flambe. Sur les vitres
chargées de givre, le soleil fait des paysages d'argent.

Devant la cheminée, le petit Chose, assis sur un
tabouret aux pieds de la pauvre aveugle, cause à voix
basse avec Mlle Pierrotte plus rouge que la petite rose
rouge qu'elle a dans les cheveux. Cela se comprend,
elle est si près du feu !…

Et M. Pierrotte ?… Oh ! M. Pierrotte n'est pas
loin… Il est là-bas, dans l'embrasure de la fenêtre,
à demi caché par le grand rideau jonquille, et se
livrant à une besogne silencieuse qui l'absorbe et le
fait suer. Il a devant lui, sur un guéridon, des compas, des crayons, des règles, des équerres, de l'encre

de Chine, des pinceaux, et enfin une longue pancarte
de papier à dessin[1] qu'il couvre de signes singuliers...
L'ouvrage a l'air de lui plaire. Toutes les cinq minutes, il relève la tête, la penche un peu de côté et
5 sourit à son barbouillage d'un air de complaisance.

Quel est donc ce travail mystérieux?...

Attendez; nous allons le savoir... Pierrotte a fini.
Il sort de sa cachette, arrive doucement derrière Camille et le petit Chose; puis, tout à coup, il leur étale
10 sa grande pancarte sous les yeux en disant: « Tenez!
les amoureux, que pensez-vous de ceci? »

Deux exclamations lui répondent:

— Oh! papa!...

— Oh! monsieur Pierrotte!

15 — Qu'est-ce qu'il y a?... Qu'est-ce que c'est?...
demande la pauvre aveugle, réveillée en sursaut.

Et Pierrotte joyeusement:

— Ce que c'est, madame Eyssette?... C'est...c'est
bien le cas de le dire... C'est un projet de la nouvelle
20 enseigne que nous mettrons sur la boutique dans quelques mois... Allons! monsieur Daniel, lisez-nous ça
tout haut, pour qu'on juge un peu de l'effet.

Dans le fond de son cœur, le petit Chose donne une
dernière larme à ses papillons bleus; et prenant la
25 pancarte à deux mains: — Voyons! sois homme, petit
Chose! — il lit tout haut, d'une voix ferme, cette enseigne de boutique, où son avenir est écrit en lettres
grosses d'un pied:[2]

PORCELAINES ET CRISTAUX
Ancienne maison Lalouette
EYSSETTE ET PIERROTTE
SUCCESSEURS

NOTES

NOTES

Page 1. — 1. **Petit Chose,** *Little "What's-Your-Name."*
Chose is frequently applied to a person in familiar language.
How it came to be applied to Daudet is explained on page 12
of the text.

2. **Languedoc,** ancient province of southern France. The
city here referred to is Nîmes.

3. **pas mal,** *not a little.*

4. **Carmélites,** an order of nuns named after Mount Carmel
in Palestine.

5. Under Roman rule Nîmes was a rich and important city,
as is shown by the numerous ruins still remaining, especially
the amphitheatre.

6. **jardin,** here *yard* or *court.*

Page 2. — 1. **Marseille,** on the Mediterranean, is the third
largest city and the largest sea-port in France.

2. **grève des ourdisseuses,** *strike of the warpers* or *weavers.*

3. The Revolution of 1848 is meant when Louis Philippe
fled to England, and a republic was declared.

4. **ne battit plus que d'une aile,** *was near its end;* lit., " beat
or worked with only one wing," like a crippled bird.

5. **un métier à bas,** *a loom down, out of service.*

6. **une table d'impression de moins,** *one less table or plate
for* (silk) *printing.*

7. **Rouget,** *"Reddy;"* see page 4, line 16.

Page 3. — 1. **à qui s'en prendre,** *whom to blame for it.*

Page 4. — 1. **les aventures,** *the adventures of Robinson
Crusoe,* a book almost as popular in France as with us.

2. **ne se doutait guère de,** *scarcely suspected.*

Page 5. — 1. lauriers-roses, *oleanders.*

Page 6. — 1. se douter; see page 4, note 2.

2. Lyon, *Lyons,* the second largest city in France, is noted for its silk industries.

3. pris les devants, *gone ahead.*

Page 7. — 1. au fil de l'eau, *with the current.*

Page 8. — 1. Qui vive? *Who goes there?* A sentinel's challenge.

2. et (*nous nous mîmes*) en route, *we set out.*

3. glisser, usually means " to slip; " here, *to be slippery.*

4. lui for il, because separated from verb.

Page 9. — 1. s'égare, *gets lost.*

2. plus de, *no more.* The usual sense when the verb is omitted.

3. le gros ouvrage, *the rough work.*

4. lui non plus, *he neither; lui* for *il* because the verb is omitted.

5. par le prendre en grippe, *by taking a dislike to him.*

6. l'abreuvait de taloches, *overwhelmed him with slaps.*

Page 10. — 1. tu as beau lui dire, *there is no use in your telling him.*

2. pourvu qu'il ne lui soit rien arrivé, *if only nothing has happened to him.*

Page 11. — 1. manécanterie, a school belonging to a church, chiefly for the training of choir boys.

2. Epitome. This was the " *Epitome Historiæ Sacræ,*" an elementary Latin grammar and reader.

3. accessoire, *a side issue.*

4. suisse, *usher* or *sexton* (Swiss were frequently so employed).

5. en changeant les Évangiles de place, *in carrying the Gospels* (i.e., the lesson book) *from one side to the other.* (This accident actually happened to Daudet in Lyons.)

Page 12. — 1. jour de Pentecôte, *Whitsuntide* (when the service was particularly solemn).

2. à part, *aside from.*

3. bourse d'externe, *a scholarship for a day student* (*externe*). This entitled him to tuition only. The boarders are called *internes.*

Page 13. — 1. cartonner, *to bind in cardboard.*
2. boursier, *free scholar.*
3. une partie de barres, *a game of prisoner's base.*

Page 14. — 1. une verte semonce, *a severe rebuke.*
2. j'avais le cœur serré, *I had a heavy heart.*

Page 15. — 1. tout droit, *at once,* "right straight."
2. pourquoi faire? *What do with it?*

Page 16. — 1. à quoi m'en tenir, *how matters stood;* lit., "what to hold to."
2. sans avoir l'air, *without attracting attention.*
3. j'eus beau; see page 10, note 1.

Page 17. — 1. cuisaient, *burned, pained.*
2. comment m'y prendre? *how go about it?*

Page 18. — 1. fermer à double tour (*de la clef*), *to lock carefully.*
2. lui is here emphatic for lui-même; see also page 8, note 4.

Page 19. — 1. s'en doutait; see page 4, note 2.
2. la mise en train, *beginning;* lit., "setting in motion."

Page 20. — 1. venir à bout, *accomplish, finish;* lit., "get to the end."
2. mal, *disease, affection.*
3. achevait sa philosophie, *was in the highest class.* In a French *collège* the highest class is called "*classe de philosophie,*" because philosophy is one of the principal subjects of study. The next lower class is called "*classe de rhétorique.*"

Page 21. — 1. chacun de notre côté, *each one for himself.*
2. Mont-de-piété, *pawnbroker shop.* It owes its name to the fact that it was originally a charitable establishment.
3. Société vinicole, *Wine Company.*
4. maître d'étude, *keeper of the study-hall.* In the French *Collèges et Lycées* the students prepare their lessons in a large

room called "*l'étude*," under the supervision of the "*maître d'études*" who is never a teacher. *Pion* (lit., pedestrian) means servant, and is used by students in a depreciative sense.

Page 23. — 1. mauviette, *frail.*

Page 24. — 1. There is a small town called Sarlande in south-western France, but here Alais is meant. See Introduction.

2. quatre à quatre, *four steps at a time.*

3. à portée de son escarcelle, *within reach of his purse.*

4. **Au Compagnon du tour de France** may be translated: "The journeyman who has traveled through France." This name has reference to the times when apprentices traveled extensively in order to perfect themselves in their trade.

Page 27. — 1. lui, see page 18, note 2.

2. Cévennes, a mountainous region in south-eastern France.

3. donne, *shines.*

4. tramontane, *north wind.*

5. faisait rage, *was raging.*

6. impériale, *top of a coach* (where the seats are cheapest).

Page 28. — 1. quart d'heure, often means a short time; here, *moment.*

2. fit, familiar for *dit.*

Page 29. — 1. fer ouvragé, *wrought iron.*

2. 89 for 1789, when the Revolution began.

Page 30. — 1. pour le coup, *now, at this time.*

2. surveillant général, *chief disciplinarian.*

Page 32. — 1. bon enfant, *good-natured.*

2. chemin faisant, *on the way.*

Page 33. — 1. chasseurs d'Afrique, may be translated: *African Cavalry.* These *chasseurs* are picked troops, mounted on fleet horses, especially for service in Algeria.

2. portés, *disposed, inclined.*

3. les siens, *his friends* or *relatives.*

4. plus; see page 9, note 2.

5. à lui tout seul, *by himself alone.*

6. **se mettre au courant de,** *inform himself about, post himself on.*

7. **carreau,** *window pane.*

Page 34. — 1. **externes;** see page 12, note 3.

Page 35. — 1. **c'est bien le cas de dire,** *one may well say;* lit., " This is a case for saying."

2. This is a parody on the proverb: " *Les jours se suivent mais ne se ressemblent pas.*"

3. **moi;** see note on *lui;* see page 9, note 4.

4. **punch** (pron. *ponche*) **d'adieu,** *farewell punch.*

Page 36. — 1. **de bons garçons,** *good fellows.*

2. **secs,** *sharp.*

Page 37. — 1. **à leur intention,** *for them.*

2. These titles refer to well-known fables of La Fontaine.

3. **le bonhomme,** etc., *the good old La Fontaine was my favorite saint.* These fables are universal favorites in France.

Page 38. — 1. **moyens,** " *middlers.*"

2. **M. Viot avait beau me sourire,** *it was useless for Mr. V. to smile on me.*

Page 39. — 1. **à faire sauter sa cervelle,** *to burst his head;* lit., " brain."

2. **quart d'heure;** see page 28, note 1.

3. **passer licencié,** *pass* (my examination for the degree of) *licentiate.* In France every teacher must have a State certificate.

Page 40. — 1. **sur les bras,** *on my hands.*

2. **emboîtaient le pas,** *kept step;* lit., " locked step."

3. **sonnaient les talons,** *made their heels ring* (on the pavement).

4. **grognards,** *veterans.* The name was specifically applied to members of Napoleon's " Old Guard."

5. **diablotins ébouriffés,** *disorderly rascals.*

6. **Bamban,** *Bandyleg.*

7. **belles relations,** *fine associates.*

Page 41. — 1. **je ne sais quoi qui sentait,** *something that showed* or *gave evidence of.*

Page 42. — 1. **doublez le pas,** *faster!*

2. **faire une niche,** *play a joke.*

3. **filer d'un train d'enfer,** *go at a frightful speed.*

4. **se saignait les quatre membres,** *made the greatest sacrifices;* lit., "bled his four limbs."

Page 43. — 1. **à raison,** *at the rate of.*

2. **Pion;** see page 21, note 4.

Page 44. — 1. **soutane,** *gown, robe* (of a priest). Catholic priests in France wear gowns all the time, in and out of doors.

Page 45. — 1. **Condillac,** a French philosophical writer (1715-1780).

2. **coûte que coûte,** *cost what it might* (the verbs are in the subjunctive).

Page 46. — 1. **ce n'était ... amour,** *all my love was needed.*

2. **tant bien que mal,** *somehow or other, better or worse.*

3. **du geste,** *with a gesture.* He made a sign of refusal.

4. **à ton aise,** *as you like.*

Page 47. — 1. **des histoires,** *fables, idle tales.*

2. **misère de moi,** *woe is me.*

3. **tu ... jamais,** *you will never pull through.*

Page 48. — 1. **plus;** see page 9, note 2.

Page 49. — 1. **accessit** ("*he came near*"), *honorable mention.* In all French schools prizes are given. There is a first and second prize and three *accessits.*

Page 51. — 1. In this construction the adjective does not necessarily agree with its noun.

Page 52. — 1. **fièvre de cheval,** *horse-fever;* strong enough to kill a horse.

2. **je l'ai ... place,** *I sent him about his business.*

Page 53. — 1. **litanies,** *long lines.*

Page 54. — 1. **faisais ombre,** *cast a shadow.*

2. **pensum** (pron. *painsome*), *task* (given as a punishment).

3. **Sarlandais**, *inhabitants of Sarlande*.

Page 55. — 1. **ménagements**, *care, respect*.

Page 56. — 1. **mis à la raison**, etc., *set in order by this insignificant proctor*.

Page 58. — 1. **les enfants...aperçu**, *the children might have...and I should not have perceived it*.

2. **tu ne te doutais pas;** see page 4, note 2.

3. **un coup de tête,** *a rash act*.

4. **Que veux-tu?** *What could you expect?*

Page 59. — 1. **quart d'heure;** see page 28, note 1.

2. **Bretagne,** *Britanny,* ancient province in western France.

3. **Quartier Latin.** The so-called "Latin Quarter" is on the left bank of the Seine, where most of the great schools of Paris are located. It probably owes its name to the fact that during several centuries Latin was the only language used in these schools.

4. **pense un peu!** *just think!*

Page 60. — 1. **quatre à quatre;** see page 24, note 2.

2. **je ne me sentais pas,** *I couldn't contain myself*.

Page 61. — 1. **d'un trait,** *at once;* lit., "at one streak."

Page 63. — 1. **pli,** *envelope* (with enclosure).

Page 65. — 1. **c'est comme cela,** *that's how it is*.

Page 66. — 1. **plus;** see page 9, note 2.

Page 68. — 1. **coup de théâtre,** *unexpected stroke* (such as occurs on the stage).

Page 70. — 1. **baobab.** Some of these trees are supposed to be five thousand years old.

2. **wagon de troisième classe,** *third-class coach* or *car*. In France most of the trains have three classes of coaches, with varying prices, the third being the cheapest.

Page 71. — 1. **bras dessus bras dessous,** *arm in arm*.

Page 72. — 1. **Saint-Germain-des-Prés** is the oldest church in Paris. It is situated at the intersection of the Boulevard Saint Germain and the rue Bonaparte. Alphonse Daudet came to Paris in November, 1857, and during the following winter he and his brother Ernest lived *sous les combles d'une vaste maison de la rue Bonaparte adossée contre Saint-Germain-des-Prés.*

Page 73. — 1. **derrière eux,** *after them;* i.e., after they had gone. — 2. **à même,** *able, in a position.*

Page 74. — 1. **pour voir venir,** *for the future.*

Page 75. — 1. **bien m'en prit,** *it was well for me.*
2 **hôtel,** *mansion, city residence.*
3. **bleu et or,** refers to the color of the liveries.

Page 77. — 1. **banalités de circonstance,** *commonplace remarks* (such as the occasion required).

Page 78. — 1. **cabinet de lecture,** *reading-room.*
2. **Passage du Saumon** is a small street near the *Halles Centrales.*
3. **à tous battants,** *wide;* lit., " with all doors."
4. **odyssée,** *long story,* referring to the story of Ulysses.

Page 81. — 1. **prendre un parti,** *come to a conclusion.*
2. **menu de spectacles,** *list of amusements.*

Page 82. — 1. **c'est égal,** *nevertheless, all the same.*

Page 84. — 1. **table d'hôte,** *table regularly set.*

Page 85. — 1. **chambre,** *room rent.*
2. **bateau,** *laundry-boat.* These are flat-bottomed boats along the Seine arranged for laundry purposes.

Page 87. — 1. **à toutes jambes,** *at full speed.*
2. **à belles dents,** *with a good appetite.*

Page 88. — 1. **Le moyen . . . d'aller,** *anyhow, how could I go?*

Page 89. — 1. **Palais-Royal,** formerly a palace, but now devoted to business purposes.

2. **français** here means good French. He spoke the Cevenol dialect.

Page 90. — 1. **tiré au sort,** *drew lots* (to determine whether he had to serve in the army or not; those who drew low numbers were obliged to go).

2. **frère de lait,** *foster brother.*

3. **homme,** *substitute.*

Page 91. — 1. **faire des ménages,** *do house-work* (for other persons).

2. In 1830 there was a revolution. Charles X. was deposed and Louis-Philippe made king of France.

Page 92. — 1. **c'est bien le cas de le dire;** see page 35, note 1.

Page 93. — 1. **faisait sa caisse,** *was making up his cash account.*

Page 94. — 1. **sur un pied,** *on the footing, in the style.*

Page 95. — 1. **il dut le manquer,** *he must have missed him.*

Page 96. — 1. **Rosellen** (1811-1876) was a French composer. His *" Rêveries "* were formerly very popular.

2. **au pied de la lettre,** *literally.*

Page 98. — 1. **un parti pris,** *a decision made;* see page 81, note 1.

2. **mouvements d'humeur,** *ill feelings, feelings of ill-will.*

Page 99. — 1. **office,** *kitchen.*

2. **cinq cents,** a game of cards, so called because five hundred points make a game.

Page 100. — 1. 2. omit *de* in translating.

Page 101. — 1. **jonquille,** *light yellow,* referring to the color of the hangings.

Page 102. — 1. **pots de colle;** see page 13.

Page 103. — 1. **se valaient,** *were alike, one was as good as another.*

2. **n'y mordait pas non plus,** *didn't like them either.*

Page 105. — 1. **physionomies de circonstance,** *faces suitable to the occasion;* see also page 77, note 1.

Page 106. — 1. See Revelation vi. 4.

2. **MM.,** abbreviation for *Messieurs.*

Page 109. — 1. **Lamartine** (1790-1869), one of the most famous French poets.

2. **Sainte-Beuve** (1804-1869), a French author, specially noted for his critical writings.

3. **il changera joliment de gamme,** *he will change his tune in fine style.*

4. **Baghavat;** see page 102, line 26.

Page 110. — 1. **bon enfant,** *good-natured.*

2. **nous tirons à mille exemplaires,** *we shall have one thousand copies printed.*

3. **Odéon,** a celebrated theatre. The *galeries* in front are chiefly occupied by book-stores.

Page 113. — 1. **condamné** (*m* silent), *given up.*

Page 116. — 1. **qu'est-ce que vous me chantiez donc?** *what in the world are you talking about?*

2. **trompe-la-mort,** *"Cheat-Death."* He had cheated Death out of its prey.

Page 117. — 1. **Montmartre,** a cemetery in the northern part of Paris.

Page 120. — 1. **à pas de loup,** *stealthily, slily.*

2. **Voici . . . guérison,** *now that I am getting well.*

Page 122. — 1. **pour si bien qu'il soit,** *however comfortable he may be.*

Page 124. — 1. **papier à dessin,** *drawing-paper.*

2. **grosses d'un pied,** *a foot high.*

VOCABULARY

VOCABULARY

A

abandonner, to desert, forsake.
abat-jour, *m.*, shade (for a lamp).
abattre, to cast down, depress; s'—, to come down.
abbé, *m.*, abbot, priest.
abeille, *f.*, bee.
abord (d'), first, at first.
abri, *m.*, shelter, cover.
absolument, absolutely, entirely.
absorber (s'), to be absorbed.
accepter, to accept.
accompagner, to accompany, escort.
accomplir, to accomplish, fulfil.
accouder (s'), to lean on one's elbow.
accourir, to run, come running.
accrocher, to hang, hook, fasten.
accueil, *m.*, reception, welcome.
accueillant, –e, kind.
accueillir, to receive.
achalandé, having custom; bien —, having a good trade.
acharné, –e, implacable, desperate.
acheter, to buy.
achever, to finish.
acolyte, *m.*, follower, companion.
acquérir, to acquire, obtain, gain.

acquis, *see* acquérir.
admettre, to admit, allow.
admirablement, admirably, very well.
adresse, *f.*, address.
adresser, to direct, address; s'—, to apply.
affaire, matter, business; voici mon —, here is what I want.
affairé, –e, busy, occupied.
affamé, –e, famished, hungry.
affecter, to pretend, feign.
affiche, *f.*, placard, bill, poster.
affreu–x, –se, hideous, horrible.
affront, *m.*, outrage, insult.
affronter, to face, brave.
afin, to, in order to.
Afrique, *f.*, Africa.
âgé, –e, aged, old.
agir, to act; il s'agit, the question is.
agiter, to move, shake, disturb.
agoniser, to be at the point of death.
aide, *f.*, aid, help; venir en — à, to help.
aider, to aid, help.
aigle, *m.*, eagle, "genius."
aigrir, to irritate, embitter.
aiguille, *f.*, needle.
aile, *f.*, wing.
aille, *subj. of* aller.
ailleurs, elsewhere, besides, in other respects, after all.
aimable, agreeable, kind.

aimer, to love; — mieux, to prefer.

aîné, –e, elder, senior.

ainsi, thus, so.

air, *m.*, air, look, appearance.

aise, *f.*, ease, convenience.

ajouter, to add.

alerte, active, agile.

aliéner, to alienate.

aller, to go; s'en —, to go away.

allonger, to stretch out.

allons, come!

allumer, to light, light up.

allumette, *f.*, match.

allure, *f.*, gait, carriage.

alors, then, at that time.

Alsacien, –ne, Alsatian.

amarre, *f.*, cable, rope.

ambulant, –e, itinerant, strolling.

âme, *f.*, soul, mind, heart.

amener, to bring, lead, draw.

ameuté, –e, disorderly.

ami, –e, friend; bonne –e, sweetheart.

ami, –e, friendly.

amical, –e, friendly, kind.

amour, *m.*, love, passion.

amoureu–x, –se, in love.

amoureux, *m.*, lover.

amusant, –e, amusing, funny.

amuser, to amuse, entertain.

an, *m.*, year.

ancien, –ne, old, former.

anciennement, formerly.

ancre, *f.*, anchor.

âne, *m.*, ass, donkey.

ange, *m.*, angel.

anglais, –e, English.

angle, *m.*, corner.

animer (s'), to become animated, grow warm.

anneau, *m.*, ring.

année, *f.*, year.

annoncer, to tell, inform, proclaim.

annuité, *f.*, yearly installment.

antienne, *f.*, anthem.

antipathie, *f.*, dislike.

anxieu–x, –se, anxious, uneasy.

apaiser, to pacify.

apercevoir, to perceive, notice.

apitoyer (s'), to take pity.

aplomb, *m.*, assurance, coolness.

apparition, *f.*, appearance.

appartement, *m.*, suite of rooms, flat.

appartenir, to belong.

appel, *m.*, roll-call.

appeler, to call, name.

appétit, *m.*, appetite.

appointements, *m. pl.*, salary.

apporter, to bring.

apprendre, to learn, teach.

apprentissage, *m.*, apprenticeship.

appris, *from* apprendre.

approbativement, approvingly.

approcher, to approach; s'— de, to come near.

âpre, rough, disagreeable, hard.

après, after; d'—, from.

après-midi, *m. f.*, afternoon.

arbre, *m.*, tree.

archives, *f. pl.*, records.

ardeur, *f.*, fervency, intensity.

argent, *m.*, silver, money.

aristocrate, aristocratic.

arme, *f.*, arm, weapon; place d'–s, parade ground.

armer, to arm.

arracher, to draw away, snatch from.

arranger, to arrange, manage.

arrêter, to stop.

arrière, *m.*, back, rear.

arrière-boutique, *f.*, back shop.

arrière-garde, *f.*, rear-guard.

arrivée, *f.*, arrival.

arriver, to come, happen, succeed.

arroser, to water.

aspect, *m.*, sight.

assaillir, to assail, attack.

asséner, to strike, deal.

asseoir (s'), to sit down.
assiette, *f.*, plate.
assis, –e, seated.
associé, *m.*, partner.
assommer, to knock down, oppress, weary to death.
assoupi, –e, asleep.
assoupissement, *m.*, drowsiness, heaviness.
assourdissant, –e, deafening.
asthmatique, (*as-ma-tik*), asthmatic, panting.
atelier, *m.*, workshop, factory.
attabler (s'), to sit down to the table.
attaquer, to attack, assail; s'— à, to defy.
atteindre, to reach.
attendant (en), in the mean time, meanwhile.
attendre, to wait for, expect; s'— à, to expect, wait.
attendrir (s'), to be moved.
attendrissant, –e, moving, affecting.
attente, *f.*, waiting; salle d'—, waiting-room.
atterrer, to astound, overwhelm.
attirail, *m.*, apparatus, outfit.
attirer, to attract, draw.
attraper, to catch.
au, contraction of à le.
aube, *f.*, dawn.
aucun, –e, any.
audace, *f.*, audacity, boldness.
au-dessous, under, below.
au-dessus, over, above.
auditoire, *m.*, congregation, audience.
augmenter, to increase,
augure, *m.*, omen, token.
aujourd'hui, to-day, this day.
auparavant, before, previously.
auprès (de), near, with, to.
aussi, too, also, therefore, so.
aussitôt, immediately, as soon as.
austère, severe, grave.

autant, as much, as many; so much, so many.
autel, *m.*, altar.
auteur, author.
autorité, *f.*, authority.
autour (de), about, around.
autre, other, different.
autrefois, formerly, former times.
autrement, otherwise.
aux, (*pl.* of au.)
avance, *f.*, advance; par—, beforehand, in advance.
avancer, to advance, proceed, improve.
avant, *m.*, prow, bow of a ship.
avant, before; — peu, before long.
avare, miserly, stingy.
avec, with.
avenant, –e, pleasing, kind, genial.
avenir, *m.*, future.
aventure, *f.*, adventure, occurrence.
aversion, *f.*, hate, dislike; prendre en —, to take a dislike to.
avertir, to warn, tell.
aveu, *m.*, confession.
aveugle, blind.
avis, *m.*, opinion.
avisé, –e, prudent.
aviser, to perceive, see.
avoir, to have, be the matter with, ail; il y a, there is, there are : ago.
avouer, to confess, acknowledge.

B

bagatelle, *f.*, trifle.
baguette, *f.*, switch, stick, wand.
baigner, to bathe.
bain, *m.*, bath.
baisser, to lower.
balai, *m.*, broom, brush.

balancer, to balance, swing.
balayer, to sweep.
balbutier, (-cié), to stammer.
banc, m., bench.
bancal, -e, bandy-legged.
bandeau, m., headband, fillet, frontlet.
bandelette, f., ribbon, string.
baraque, f., barrack, shed.
barbe, f., beard.
barbouillage, m., daub, scrawl.
bariolé, -e, variegated.
barque, f., boat.
barre, f., bar.
bas, -se, low.
bas, m., lower part, bottom.
bas, down; là —, yonder.
bas, m., stocking.
bateau, m., boat.
bâtiment, m., building.
bâtir, to build.
battre, to beat, strike, clap; se —, to fight.
bavard, -e, talkative, loquacious.
bavardage, m., chattering.
bavarder, to chatter.
beau, bel, belle, beautiful, fine, handsome; avoir beau, in vain.
beaucoup, many, much.
belle, see beau.
bénéfice, m., profit.
besogne, f., work, business.
besoin, m., need, want, necessity.
bête, f., beast; adj., silly, stupid.
bibliothèque, f., library.
bien, well, certainly, indeed, quite, very, many; — que, although; être —, to be comfortable.
bien-aimé, -e, beloved.
bien-être, m., welfare.
bienfait, m., benefit.
bienheureu-x, -se, happy, blessed.
bientôt, soon.

bienveillance, f., kindness.
billet, m., note.
bizarrerie, f., caprice, whim.
blanc, -he, white.
blanchissage, m., washing.
bleu, -e, blue.
blond, -e, fair, light, light-haired.
blouse, f., blouse (coat worn over other clothing).
boire, to drink.
bois, m., wood, forest.
boit, from boire.
bon, -ne, good, kind.
bond, m., bound, jump.
bondir, to bound, start up.
bonheur, happiness, good luck.
bonhomme, m., old fellow.
bonjour, good morning, good day.
bonne, f., servant.
bonnement, simply, honestly.
bonsoir, m., good night.
bonté, f., goodness, kindness.
bord, m., bank, edge.
borgne, blind of one eye.
botte, f., boot.
bouche, f., mouth.
boucher, to stop, obstruct.
boucle, f., buckle.
boue, f., dirt, mud.
bouger, to stir, budge, give way.
boulevard or boulevart, m., avenue.
bouquet, m., bunch, cluster.
bouquin, m., second-hand book.
bourdonnement, buzzing, humming.
bourgeois, -e, middle-class citizen.
bourreau, m., executioner, tormentor, tyrant.
bourrer, to stuff, cram.
bourru, -e, cross, surly.
bourse, f., purse.
bousculer, to jostle.
bout, m., end, bit; venir à — de, to succeed.

bouteille, *f.*, bottle.
boutique, *f.*, shop.
bouton, *m.*, button, knob.
boutonner, to button.
branle, *m.*, swing, motion.
bras, *m.*, arm.
brave, good, kind.
bravement, bravely, boldly.
braver, to defy.
br–ef, –ève, short, abrupt.
briller, to shine, glitter.
brin, *m.*, bit, little.
briser, to break.
broder, to embroider.
broncher, to flinch.
brouhaha, *m.*, hubbub, uproar.
brouillard, *m.*, fog, mist.
brouille, *f.*, quarrel, misunderstanding.
bruit, *m.*, noise, din, sound.
brûler, to burn.
brume, *f.*, fog, mist.
brun, –e, brown.
brusquement, bluntly, abruptly.
brutalité, *f.*, rude language.
bruyamment, noisily.
bruyant, –e, noisy.
budget, *m.*, estimate of expenses.
buffle, *m.*, buffalo.
buis, *m.*, box-wood.
bureau, *m.*, writing-table, desk.
but, *m.*, object, end, aim.
buvant, *part.* of boire.

C

ça, that.
cabane, *f.*, hut, cabin.
cabaret, *m.*, tavern, restaurant.
cabaretier, *m.*, tavernkeeper.
cabaretière, *f.*, tavernkeeper's wife.
cabinet, *m.*, study, office; — de lecture, reading-room.
cacher, to hide, conceal.
cachette, *f.*, hiding-place.
cadavre, *m.*, corpse, body.
cadran, *m.*, dial.

café, *m.*, coffee ; restaurant.
cafetier, *m.*, coffee house or restaurant keeper.
cahier, *m.*, copy-book, exercise-book.
caisse, *f.*, box, chest ; faire la—, to make up the cash account.
calciner, to burn.
calendrier, *m.*, calendar.
califourchon (à), astride.
calumet, *m.*, Indian pipe.
camarade, *m. f.*, comrade, playmate.
campagne, *f.*, country, campaign ; se mettre en —, to start out.
camper, to place.
canapé, *m.*, sofa.
canard, *m.*, drake, duck.
canif, *m.*, penknife.
canne, *f.*, cane.
caoutchouc, *m.*, rubber shoes, India-rubber.
cape, *f.*, hood, cape ; rire sous—, to laugh in one's sleeve.
capitaine, *m.*, captain.
carillonner, to chime, ring.
cartable, *m.*, school-bag.
carte, *f.*, card.
carton, *m.*, pasteboard.
cartonnage, *m.*, binding in boards.
cartonner, to bind in boards.
cas, *m.*, case, event.
caserne, *f.*, barracks.
caserner, to shut up.
casquette, *f.*, cap.
cassant, –e, abrupt, gruff.
casser, to break.
cauchemar, *m.*, nightmare.
causer, to cause, talk.
cavali–er, –ère, horseman-like.
cave, *f.*, cellar.
ce, cet, cette, this, that ; *pl.*, ces, cettes, these, those.
ceci, this.
céder, to give up, transfer.
ceinture, *f.*, belt, waist.

cela, that.

célèbre, famous, eminent.

celui, *m.*, he, that; celle, *f.*, she, that; *pl.*, ceux, celles, they, them, those.

cent, hundred.

cependant, however, nevertheless.

certainement, certainly, surely.

certes, indeed.

certitude, *f.*, certainty, assurance.

cerveau, *m.*, brain.

cervelet, *m.*, cerebellum, little brain.

cervelle, *f.*, brain, head.

cesse, *f.*, ceasing, intermission.

cesser, to cease.

ceux, *see* celui.

cévenole, Cevenole, (from the Cevennes).

chacun, –e, every one, each.

chagrin, *m.*, sorrow, grief, trouble.

chaire, *f.*, pulpit, platform.

chaise, *f.*, chair.

chaleureu–x, –se, warm, ardent.

chambre, *f.*, room.

champ, *m.*, field; sur-le —, at once.

chance, *f.*, chance, luck.

chanceler, to stagger, totter.

changement, *m.*, change.

changer, to change, exchange.

chanson, *f.*, song, story.

chant, *m.*, song, canto.

chanter, to sing, chant.

chapeau, *m.*, hat.

chapelle, *f.*, chapel.

chapitre, *m.*, chapter, subject.

chaque, each, every.

charbon, *m.*, coal.

charger, to load, charge; se —, to take charge.

charmant, –e, charming, delightful.

charrette, *f.*, cart.

chasser, to chase, expel, drive away.

chat, *m.*, cat.

châtaigne, *f.*, chestnut.

châtaignier, *m.*, chestnut-tree.

chaud, –e, hot, warm.

chauffer, to warm.

chaussette, *f.*, stocking.

chaussure, *f.*, foot-gear, shoes.

chauve, bald, bare.

chaux, *f.*, lime.

chef-d'œuvre, *m.*, master-piece.

chemin, *m.*, way, road; — de fer, railroad; —faisant, on the way.

cheminée, *f.*, chimney, fire-place, mantel-shelf.

chêne, *m.*, oak.

ch–er, –ère, dear, expensive.

chercher, to seek, look for, get; envoyer —, to send for.

chéri, –e, beloved.

chéti-f, –ve, insignificant.

cheval, *m.*, horse.

chevelure, *f.*, hair,

chevet, *m.*, pillow, head (of a bed).

cheveu, *m.*, hair.

chez, at, to, in, with, among.

chez-moi, *m.*, home.

chien, *m.*, dog.

chiffon, *m.*, scrap.

chiffre, *m.*, figure, number, amount.

Chine, *f.*, China.

chiquenaude, *f.*, fillip, tap.

chose, *f.*, thing, affair.

chuchotement, *m.*, whisper.

cidre, *m.*, cider.

ciel, *m.*, heaven, sky.

cigale, *f.*, grasshopper.

cimetière, *m.*, cemetery.

cinq, five.

cinquantaine, *f.*, fifty.

cinquième, fifth.

circonstancier, to detail.

clair, –e, clear, plain,

classe, *f.*, class, school-room ; faire la —, to hear a recitation.

clef (*clé*), *f.*, key.

client, *m.*, customer.

cloche, *f.*, bell.

clocher, *m.*, steeple.

clore, to finish, conclude.

cœur, *m.*, heart.

cohue, *f.*, crowd.

coiffe, *f.*, head-dress.

coin, *m.*, corner.

colère, *f.*, anger, wrath, rage.

colle, *f.*, paste, glue.

coller, to paste, glue.

collet, *m.*, collar.

colline, *f.*, hill.

colonne, *f.*, column.

combien, how much, how many.

comble, *m.*, consummation, summit, height ; *pl.* roof, roof-timbers.

combler, to overwhelm.

comédie, *f.*, comedy, play.

comédien, *m.*, comedian, actor.

comique, ludicrous.

comme, as, like, as if.

commencer, to begin.

comment, how.

commenter, to comment on, expound.

commerçant, *m.*, trader, merchant.

commerce, *m.*, trade, business.

commettre, to commit, perpetrate.

commis, *m.*, clerk ; — voyageur, commercial traveler.

commode, commodious, convenient.

commun, -e, common.

compagnie, *f.*, company.

compagnon, *m.*, companion, journey-man.

compas, *m.*, compasses.

compatriote, *m. f.*, fellow-countryman.

compère, *m.*, good fellow.

complaisance, *f.*, complacency.

comprendre, to comprehend, understand.

compte, *m.*, account, calculation.

compter, to count, number, expect.

comptoir, *m.*, counter, counting-house, office.

comte, *m.*, Count.

concevoir, to conceive.

concierge, *m. f.*, door-keeper, porter.

conçu, -e, worded, expressed.

condamner (*kon-da-né*), to condemn, close up.

condoléance, *f.*, condolence, regret.

conduire, to guide, take.

conduite, *f.*, conduct, behavior.

confiance, *f.*, confidence, trust.

confier, to confide, intrust.

confus, -e, vague, indistinct, confused.

confusément, vaguely, dimly.

congé, *m.*, leave of absence.

congédier, to dismiss.

connaissance, *f.*, acquaintance, consciousness.

connaître, to know.

connu, -e, known, understood.

consacrer, to devote.

conseil, *m.*, advice.

consentir, to consent, agree.

consigner, to record, enter.

constamment, constantly.

consterner, to amaze.

conte, *m.*, story, tale.

contenir, to contain, restrain.

content, -e, satisfied, glad.

conter, to tell, relate.

continuer, to continue, keep on.

contraire, *m.*, contrary, opposite.

contre, against.

contrôleu-r, -se, superintendent.

convaincre, to convince, persuade.

convenir, to agree, suit.

coque, *f.*, shell ; œufs à la —, boiled eggs.

coquetier, *m.*, egg-cup.
coquin, *m.*, rascal, rogue.
corde, *f.*, cord, rope.
cordon, *m.*, string.
corps, *m.*, body.
côté, side, direction, part.
cou, *m.*, neck.
couché, –e, in bed, lying down.
coucher, to lay down, to lodge; se —, to go to bed.
couchette, *f.*, small bed.
coude, *m.*, elbow.
couler, to flow, to run, slip, slide.
couleur, *f.*, color, paint, dye.
coup, blow, blast; — de grâce, finishing stroke; — sur —, one after another; pour le — this time; après —, too late; tout à —, suddenly; à — sûr, for certain, surely; du —, suddenly.
couper, to cut, cut off.
cour, *f.*, yard, court.
courbé, bent, stooping.
courber, to bend.
courir, to run, hasten.
court, –e, short.
coûter, to cost.
coûteu-x, –se, expensive, costly.
coutume, *f.*, custom, habit.
couvent, *m.*, convent, monastery.
couvert, *m.*, cover (plate, spoon, knife, and fork).
couvert, –e, covered.
couverture, *f.*, cover, binding.
couvrir, to cover.
cracher, to spit.
craindre, to fear.
crainte, *f.*, fear.
cramponner (se), to cling, hold fast.
crâne, *m.*, skull, brain.
crayon, *m.*, pencil.
crémerie, *f.*, dairy, restaurant.
crever, to break.
cri, *m.*, cry, scream.

criard, –e, noisy, clamorous, shrill.
cribler, to pepper, fill, cover.
crier, to cry, shout, scream, creak.
crin, *m.*, horse-hair.
crisper, to contract, close.
cristal, *m.*, glass-ware.
croire, to believe.
croisée, *f.*, window.
croiser, to cross.
croissant, –e, growing, increasing.
croître, to grow.
croix, *f.*, cross.
croquer, to devour, eat.
crotté, –e, dirty, muddy.
crouler, to fall.
cruauté, *f.*, cruelty.
cruche, *f.*, pitcher, jug.
cuir, *m.*, leather.
cuisine, *f.*, kitchen.
cuisinière, *f.*, cook.
cuistre, *m.*, spy, vulgar fellow.
cuivre, *m.*, copper.
culbuter, to crowd.
culotte, *f.*, breeches.
curé, *m.*, rector, priest.
curieu-x, –se, curious, queer.

D

dame, *f.*, lady; — de compagnie, companion.
dame, zounds!
dandiner (se), to waddle.
dans, in, into.
danse, *f.*, dance, dancing.
danser, to dance.
davantage, more.
débâcle, *f.*, downfall, collapse, disaster.
débander (se), to disband, disperse.
débarqué, *m.*, person landing; nouveau —, one just come to town.

débarquer, to land.
débarrasser, to rid, free.
débiter, to sell, to utter, recite.
debout, upright, standing.
débris, m., remains.
début, m., first appearance, beginning.
décharger, to discharge.
déchiqueté, –e, cut, slashed.
déchirant, –e, heart-rending,
piercing.
décider (se), to decide, make up
one's mind.
déclinaison, f., declension.
décomposer, to distort.
décontenancer, to confuse, embarrass.
découvrir, to discover.
décrocher, to take down.
dedans, within, inside.
défaut, m., defect, fault.
défendre, to defend, forbid.
défiance, f., distrust, mistrust.
défiler, to file off, march.
dégager, to free, extricate.
dégarni, –e, bare, naked.
dégoût, m., loathing, dislike.
dégoûter, to disgust; se — de,
get tired of.
degré, m., step.
dégringoler, to run down.
déguster, to taste, sip.
dehors, m., outside.
dehors, out, out of doors.
déjà, already.
déjeuner or déjeuné, m., breakfast.
déjeuner, to breakfast.
délabrement, m., shabbiness.
délices, f. pl., delight.
délire, m., delirium, delirious-
ness.
délivrer, to deliver, free.
demain, to-morrow.
demander, to ask, ask for.
démangeaison, f., itching, long-
ing.
démarche, f., gait, walk.

démener (se), to make a fuss,
act.
demeure, f., abode, home.
demeurer, to live.
demi, –e, half.
demoiselle, f., young lady.
démolir, to demolish, pull down.
dent, f., tooth.
départ, m., departure.
dépêche, f., dispatch, telegram.
dépêcher (se), to make haste,
hurry.
dépense, f., expense.
déplier, to unfold.
dépourvu, –e, destitute, devoid.
depuis, since, from, for.
déranger, to derange, disconcert,
disturb.
dérider, to smooth, cheer up.
derni-er, –ère, last.
dérober, to steal.
dérouler, to unroll.
déroute, f., overthrow, ruin.
derrière, behind.
dès, from, since; — que, as soon
as.
désarmer, to disarm, unarm.
descendre, to descend, go down.
désert, –e, solitary, abandoned.
désespérer, to drive to despair;
se —, to be in despair.
désespoir, m., despair.
déshabiller, to undress.
désigner, to designate, point
out.
désirer, to desire, wish for.
désoler (se), to grieve, be sorry.
désordre, m., disorder, confusion.
désormais, henceforth, here-
after.
dessécher, to dry, dry up.
dessous, under, underneath.
dessus, on, upon.
détacher, to untie.
détourner, to turn away.
détresse, f., distress, grief.
détruire, to destroy, ruin.

dette, *f.,* debt.
deuil, *m.,* mourning, grief.
deux, two.
deuxième, second.
devant, before, in the presence of.
devanture, *f.,* front.
devenir, to become, grow.
deviner, to guess.
dévisager, to stare at.
devoir, *m.,* duty, task.
devoir, to owe, must, ought.
dévorer, to devour.
dévouement, *m.,* devotion, self-sacrifice.
dévoué, –e, faithful.
dévouer, to devote, consecrate.
diable, *m.,* devil.
dictée, *f.,* dictation.
dicter, to dictate.
dictionnaire, *m.,* dictionary.
dieu, *m.,* God.
difficile, difficult, hard.
digne, worthy, dignified.
diligence, *f.,* diligence, stage-coach.
dimanche, *m.,* Sunday.
dîner, *m.,* dinner.
dîner, to dine.
dire, to tell, say, speak.
directeur, *m.,* master.
diriger, to direct.
discrètement, cautiously.
disparaître, to vanish, disappear.
disparition, *f.,* disappearance.
disposer, to prepare, make ready.
dissimuler, to conceal, hide.
distinguer, to distinguish.
distraire, to divert, distract, turn from.
distrait, –e, heedless, wandering.
distribuer, to distribute.
divin, –e, heavenly.
diviser, to divide.
dix, ten.
doigt, *m.,* finger.

dois, doit, *from* **devoir.**
domestique, *m.,* servant.
domicile, *m.,* home, residence.
dommage, *m.,* damage, pity.
donc, therefore, then.
donner, to give.
dont, whose, of which, with which.
dormir, to sleep.
dortoir, *m.,* dormitory.
dos, *m.,* back.
dossier, *m.,* back.
doucement, slowly, gently, quietly, blandly.
douceur, *f.,* sweetness, gentleness.
douleur, *f.,* pain, grief, sorrow.
douloureu–x, –se, sorrowful, sad.
doute, *m.,* doubt.
douter, to doubt; se —, to suspect.
douteu–x, –se, doubtful.
dou–x, –ce, sweet, soft, gentle, charming.
douzaine, *f.,* dozen.
douze, twelve.
dragon, *m.,* dragoon.
drapeau, flag, streamer.
dresser, to raise, train.
droit, –e, straight, right, direct, just.
droit, *m.,* right, claim.
drôle, funny, queer.
drôle, *m.,* rogue, rascal.
dru, thick, fast.
dû, due, *from* **devoir.**
duc, *m.,* duke.
duo, *m.,* duet.
duquel, of which, from which.
dur, –e, hard, harsh.
durer, to last, continue.

E

eau, *f.,* water; **—-de-vie,** brandy.
ébranler, to move, start.

échanger, to exchange.

échantillon, *m.*, sample, specimen.

échapper, to escape.

éclair, *m.*, lightning, flash.

éclairer, to light, light up, illuminate.

éclat, *m.*, clap, crash, burst.

éclatant, -e, piercing, loud.

éclater, to break, burst, break out.

école, *f.*, school.

économies, *f. pl.*, savings.

écouter, to listen, hear.

écrier (s'), to cry out, exclaim.

écrire, to write.

écritoire, inkstand.

écriture, *f.*, writing, hand.

écrivain, *m.*, writer, author.

écu, *m.*, an obsolete French coin worth about a dollar.

éditeur, *m.*, publisher.

effarer, to terrify, scare.

effectivement, in fact.

effet, *m.*, effect, fact.

effrayer, to frighten.

effroi, *m.*, fright, terror.

effroyable, frightful.

égal, -e, equal, alike, same.

église, *f.*, church.

élancer (s'), to bound, rush.

élégamment, elegantly.

élève, *m. f.*, pupil, student.

élever, to raise.

éloigner, to remove; s'—, to go away.

embarquer, to embark put on, board, start.

embarras, *m.*, embarrassment.

embarrasser, to embarrass.

embellir, to embellish, beautify.

embourbé, -e, stuck, swamped.

embrasser, to embrace, kiss.

embrasure, *f.*, recess.

emmener, to take away, lead away, take along.

émoi, *m.*, flutter, excitement.

émotion, *f.*, stir, commotion.

émouvoir, to move, rouse, affect.

empêcher, to prevent.

emploi, *m.*, employment, use, place.

employer, to use.

empocher, to pocket.

empoisonner, to poison, infect.

emporter, to carry away, take away.

empressement, *m.*, eagerness.

empresser (s'), to busy, concern.

ému, -e, moved, affected.

encenser, to burn incense.

enchanter, to delight.

enchevêtrer, to entangle, confuse.

enclouer, to spike.

encore, yet, still, again.

encre, *f.*, ink.

encrier, *m.*, inkstand.

endormi, -e, sleepy, drowsy.

endormir (s'), to fall asleep.

éndroit, *m.*, place, spot, point.

énervé, -e, worn out.

enfance, *f.*, childhood.

enfant, *m. f.*, child.

enfantillage, *m.*, childishness.

enfermer, to shut up, lock up.

enfiler, to string.

enfin, finally, at last.

enfler, to swell, raise.

enfoncer, to sink, bury, break in.

enfumé, -e, smoked, smoky.

engager, to pledge, engage, invite, persuade.

enhardir, to encourage.

enjambée, *f.*, stride.

ennemi, *m.*, enemy.

ennuyer, to tire, weary.

ennuyeu-x, -se, dull, tiresome.

énorme, huge.

enragé, *m.*, madman, crazy fellow.

enrichir, to enrich, make rich.

enrôler, to enlist, enroll.

enseigne, *f.*, sign.

enseignement, *m.*, instruction.

enseigner, to teach.

ensemble, together.

enserrer, to hem in.

ensuite, afterwards, then.

entamer, to cut, begin.

entasser, to pile up.

entendre, to hear, understand.

enterrement, *m.*, burial, funeral.

enthousiasmé, -e, enraptured, excited.

enti-er, -ère, entire, whole.

entourer, to surround.

entrain, *m.*, spirit, animation.

entraînement, *m.*, impulse, enthusiasm.

entraîner, to carry away, hurry along, drag down, involve.

entre, between, among.

entre-bâillé, -e, ajar, half-open.

entrée, *f.*, entrance, coming in.

entrefaites, sur ces —; meanwhile.

entreprendre, to undertake, attempt.

entrer, to enter.

entrevoir, to catch a glimpse of, see.

entr'ouvrir, to open a little.

envahir, to invade, overrun.

envelopper, to wrap up.

envers, towards.

envie, *f.*, wish, desire.

environ, about, nearly.

envoi, *m.*, sending, remittance, package.

envoler, to fly away, vanish.

envoyer, to send; — chercher, to send for.

épancher, to pour out.

épaule, *f.*, shoulder.

épée, *f.*, sword.

éploré, -e, disconsolate, distressed.

époque, *f.*, time.

épouser, to marry.

épouvanter, to terrify, frighten.

épris, -e, in love.

éprouver, to feel.

épuisement, *m.*, exhaustion.

équerre, *f.*, square.

équipage, *m.*, crew.

équitation, *f.*, riding.

errer, to wander, ramble.

escabeau, *m.*, stool.

escadron, *m.*, squadron, troop.

escalier, *m.*, staircase, stairs.

escarpin, *m.*, pump, shoe.

escogriffe, *m.*, fellow.

escrime, *f.*, fencing.

espèce, species, kind.

espérance, *f.*, hope, expectation.

espérer, to hope, expect.

esplanade, *f.*, public walk.

espoir, *m.*, hope.

esprit, *m.*, mind, intellect.

esquiver, to slip away.

essai, *m.*, trial, attempt.

essayer, to try, attempt.

essentiel, *m.*, main thing.

essoufflé, -e, out of breath.

essuyer, to wipe, wipe away.

estrade, *f.*, platform, stage.

esturgeon, *m.*, sturgeon.

établi, *m.*, work-bench.

établir, to establish, fix.

étage, *m.*, story, floor.

étalage, *m.*, shop-window.

étaler, to spread out.

état, *m.*, state, condition.

éteindre, to put out, extinguish.

étendre, to stretch, extend.

éternellement, eternally, continually.

étoile, *f.*, star.

étonnant, -e, astonishing, surprising.

étonnement, *m.*, astonishment, wonder.

étonner, to astonish, amaze.

étouffer, to stifle, suppress.

étourdir, to stun, daze.

étrange, strange, odd, queer.

étrang-er, -ère, strange, foreign; *noun*, foreigner, stranger.

étrangeté, *f.*, strangeness, oddness.

gare! take care, look out.

gare, *f.*, station.

garnison, *f.*, garrison.

gars, *m.*, young fellow, boy.

gâteau, *m.*, cake.

gâter, to spoil, damage.

gauche, left.

gaz, *m.*, gas.

geler, to freeze.

gémissement, groan, moan.

gendre, *m.*, son-in-law.

gêner, to embarrass, annoy.

genou, *m.*, knee.

gens, *m.*, people ; — de service, servants.

gentil, –le, pretty, nice.

geste, *m.*, gesture.

gesticuler, to gesticulate.

giboulée, *f.*, hail.

gîte, *m.*, lodging-place.

givre, *m.*, frost.

glace, *f.*, ice.

glacé, –e, frozen, cold.

glacial, –e, cold, icy, frigid.

glacière, *f.*, ice-house.

glisser, to slip, slide, glide.

gorge, *f.*, throat.

gosier, *m.*, throat.

goût, *m.*, taste, liking.

goutte, *f.*, drop.

gouverne, *f.*, guidance, direction.

grâce, *f.*, favor, mercy, thanks.

graine, *f.*, seed.

grand, –e, great, large, tall.

grandir, to grow, grow up, increase.

gravement, seriously, solemnly.

gravir, to climb, ascend.

gravité, *f.*, importance.

grec, *m.*, Greek.

grêle, slender, slim.

grenadier, *m.*, pomegranate-tree.

grès, *m.*, sandstone, stoneware.

grésil, *m.*, sleet.

grève, *f.*, strike.

grillage, *m.*, lattice, grating.

grimace, *f.*, wry face.

grincer, to grate, creak.

gringalet, *m.*, stripling, little fellow.

gris, –e, gray.

griser, to intoxicate.

grognement, *m.*, growl.

gronder, to scold, growl.

gros, –se, big, great, bulky.

grossi-er, –ère, coarse, rough, rude.

grotte, *f.*, grotto, cave.

guéer, to ford.

guère (ne), hardly, scarcely.

guéridon, *m.*, round table, centre table.

guérir, to heal, cure.

guérison, *f.*, recovery.

guerre, *f.*, war.

guetter, to watch for, wait.

Guillaume, William.

guinguette, *f.*, restaurant.

guise, *f.*, fancy, pleasure.

gymnase, *m.*, gymnasium, gymnastics.

H

habile, clever, skillful, sharp.

habiller, to dress.

habit, *m.*, coat.

habiter, to inhabit.

habitude, *f.*, habit, practice; d'—, usually,

habitué, *m.*, regular customer.

haine, *f.*, hatred.

haïr, to hate, detest.

haleine, *f.*, breath.

hasard, *m.*, chance.

hasarder, to risk, venture.

hâte, *f.*, hurry, haste.

hâter, to hasten, hurry.

hausser, to raise, shrug.

haut, –e, high, tall, loud.

haut, *m.*, height, top; en —, upstairs.

hauteur, *f.*, height.

hein! hey ! what !

hélas! (*élass*), alas !

herbe, *f.*, grass, vegetable.

hérisson, *m.*, hedgehog.
hésiter, to hesitate.
heure, *f.*, hour, time; de bonne
—, early; sur l'—, imme-
diately; tout à l'—, just
now.
heureusement, fortunately.
heureu-x, -se, happy, lucky.
heurter, to strike, hit.
hier (*i-ièr*), yesterday.
hirondelle, *f.*, swallow.
histoire, *f.*, history, story.
hiver (*i-vèr*), *m.*, winter.
hocher, to shake, toss.
holà, hello!
homme, *m.*, man.
honorabilité, *f.*, respectability.
honte, *f.*, shame, disgrace.
honteu-x, -se, ashamed.
horloge, *f.*, clock.
hors, out.
hôte, *m.*, host, guest.
huit, eight.
humeur, *f.*, disposition.
humide, damp.
hurler, to howl, roar.

I

ici, here; par —, this way; d'—
là, in the meantime.
ignorer, to be ignorant of, not
to know.
île, *f.*, island.
image, *f.*, picture.
imiter, to imitate.
immobile, immovable, motion-
less.
impitoyable, pitiless, merci-
less.
important, *m.*, essential, main
thing.
importer, to concern, matter;
n'importe, no matter.
impression, *f.*, press, printing.
imprévu, -e, unforeseen, unexpected.
imprimer, to print.

imprimeur, *m.*, printer.
incartade, *f.*, prank, freak.
incendier, to set on fire.
incliner, to bow, bend.
incommode, inconvenient,
troublesome.
inconnu, *m.*, unknown; stranger.
incroyable, incredible.
inculquer, to inculcate, impress.
index, *m.*, forefinger.
indien, -ne, Indian, Hindoo.
indigne, unworthy.
indigné, -e, indignant, angry.
inespéré, -e, unhoped for, unexpected.
inexprimable, inexpressible.
infinité, *f.*, great number.
infirmerie, *f.*, infirmary, hospi-
tal.
in-folio, *m.*, folio.
infortune, *f.*, misfortune.
injonction, *f.*, order.
inonder, to overflow.
inouï, -e, unheard of, unprece-
dented.
inquiéter, to disturb, trouble.
inquiétude, *f.*, anxiety, uneasi-
ness.
inscrire, to inscribe.
installer, to install, plan.
instant, *m.*, moment.
instituteur, *m.*, teacher, tutor.
instruire, to instruct, teach.
insuccès, *m.*, want of success.
interdit, -e, abashed, confused.
intéressant, -e, interesting.
intérieurement, inwardly.
interrompre, to interrupt.
intituler, to entitle, call.
introduire, to introduce.
inutile, useless, unnecessary.
inventaire, *m.*, inventory.
inventer, to invent.
invoquer, to appeal to.
irai, *from* aller.
ivre, intoxicated.
ivresse, *f.*, intoxication, rapture.

J

jacasser, to chatter.
Jacques, James.
jaillir, to burst out.
jalou-x, –se, jealous.
jamais, never, ever.
jambe, *f.*, leg.
jaquette, *f.*, jacket, short coat.
jardin, *m.*, garden, yard.
jaune, yellow.
jeter, to throw, throw away.
jeu, *m.*, play, game.
jeudi, *m.*, Thursday.
jeune, young.
jeunesse, *f.*, youth.
joie, *f.*, joy.
joindre, to join, clasp.
joli, –e, pretty, fine.
joliment, finely, extremely.
jonc, *m.*, rush, reed.
jonquille, *f.*, jonquil.
joue, *f.*, cheek.
jouer, to play.
joueur, *m.*, player.
joufflu, –e, chubby, plump.
jour, *m.*, day, daylight, light.
journal, *m.*, newspaper.
journée, *f.*, day.
joyeusement, joyfully, merrily.
juge, *m.*, judge.
juger, to judge.
juillet, *m.*, July.
jurer, to swear.
jusque, to, as far as; — là, so far.
juste, exactly, precis— ∙ ∙erely.
justement, precisely, e— ∙ly, just now.

L

là, there; — bas, yonder; —
    haut, up there; — dessus,
    there∙pon, from that; — des-
    sous, under there; — dedans,
    in there, in that.
lâche, base, mean.

lâcher, to let go, release.
laid, –e, ugly.
laideur, *f.*, ugliness.
laisser, to leave, allow.
lait, *m.*, milk.
lambeau, *m.*, rag, tatter, shred.
lampe, *f.*, lamp.
lancer, to dart, hurl, throw, issue.
langue, *f.*, tongue.
languir, to languish, pine.
lapin, *m.*, rabbit.
laquelle, which, who, that.
large, broad, wide; de long en
    —, to and fro.
largement, abundantly, amply.
larme, *f.*, tear.
larmoyant, –e, tearful.
las, –se, tired.
lasser, to tire, weary,
laurier, *m.*, laurel; — rose, ole-
    ander.
laver, to wash.
lecteur, *m.*, reader.
lecture, *f.*, reading.
lég-er, –ère, light, easy.
lendemain, *m.*, next day, day
    after.
lentement, slowly.
lequel, *m.*, who, whom, that,
    which.
lestement, briskly, hastily.
levé, –e, up (out of bed).
lever, to lift, raise; se —, to rise,
    get up.
lèvre, *f.*, lip.
libraire, *m.*, bookseller.
libre, free.
librement, freely.
lié, –e, intimate.
lier, to bind.
lieu, *m.*, place.
lieue, *f.*, league.
ligne, *f.*, line.
limonade, *f.*, lemonade.
linge, *m.*, linen, cloth.
lire, to read.
lisser, to smooth.
lit, *m.*, bed.

litanie, *f.*, litany, prayers.
litière, *f.*, litter, bed.
littéraire, literary.
livre, *m.*, book.
livrer, to give up, commit.
loge, *f.*, lodge, room.
loger, to lodge, live.
loin, far, far off; de — en —, at intervals.
loisir, *m.*, leisure.
long, –ue, long.
long, *m.*, length; de — en large, up and down, to and fro.
longer, to run along.
longtemps, long, a long while.
longuement, long, a long time, at length.
lorgnon, *m.*, eye-glass.
lors, then.
lorsque, when.
louis, *m.*, an old French coin equal to about $4.
loup, *m.*, wolf.
lourd, –e, heavy.
lourdement, heavily.
lueur, *f.*, light.
lugubre, doleful, dismal.
luire, to shine, glitter.
lumière, *f.*, light.
lumineu–x, –se, luminous.
lundi, *m.*, Monday.
lune, *f.*, moon, moonlight.
lunettes, *pl.*, spectacles.
lut, *from* lire.
luxe, *m.*, luxury.

M

machine, *f.*, engine, machinery.
magasin, *m.*, shop, store.
magie, *f.*, magic.
magnifique, magnificent, splendid.
maigre, lean, thin, slender, scanty.
main, *f.*, hand.
maintenant, now.

mais, but, why.
maison, *f.*, house, home.
maître, *m.*, master.
mal, *m.*, evil, ill, harm; faire —, to hurt.
mal, ill, wrong, badly.
malade, sick, sickly.
maladie, *f.*, illness, sickness.
maladi–f, –ve, sickly, morbid.
malentendu, *m.*, misunderstanding.
malgré, in spite of.
malheur, *m.*, misfortune.
malheureusement, unfortunately.
malheureu–x, –se, unfortunate, unhappy.
malingre, puny, insignificant.
malle, *f.*, trunk.
malveillance, *f.*, ill-will, malice.
maman, *f.*, mamma, mother.
manche, *f.*, sleeve.
manger, to eat.
manie, *f.*, mania, hobby.
manquer, to miss, fail; be wanting.
mansarde, *f.*, attic.
manteau, *m.*, cloak; mantle.
marchand, *m.*, merchant, dealer.
marche, *f.*, walk; march; progress, step.
marcher, to walk, go, march.
maréchal, *m.*, marshal, blacksmith.
mari, *m.*, husband.
marier (se), to marry, get married.
marinier, *m.*, waterman, seaman.
marmotter, mutter.
marteau, *m.*, hammer, knocker.
masse, *f.*, mass, heap.
matelot, *m.*, sailor.
mater, to subdue, conquer.
matériaux, *m. pl.*, materials.
maternel, –le, maternal, motherly.
matin, *m.*, morning; *adv.*, early.

matinal, –e, early.

matinée, *f.*, morning, forenoon.

mauvais, –e, bad, evil.

méchant, –e, bad, wicked, malicious.

médecin, doctor.

méditer, to meditate.

méfier (se) de, to mistrust, distrust.

meilleur, –e, better, best.

mélancolie, *f.*, sadness, " blues."

mélancolique, dismal, gloomy.

mélancoliquement, mournfully.

mêler, to mingle, mix.

même, same, self; even.

mémoire, *f.*, memory, recollection.

menacer, to threaten.

ménage, *m.*, housekeeping.

mener, to lead, bring, take.

mensonge, *m.*, lie, falsehood.

mentir, to lie, tell a lie.

menton, *m.*, chin.

menu, –e, small, minor.

méprisant, –e, contemptuous.

mépriser, to despise.

mer, *f.*, sea.

mère, *f.*, mother.

merveille, *f.*, wonder, marvel; à —, admirably.

messe, *f.*, mass.

mesure, *f.*, measure, time; à —, accordingly; à — que, as.

métayer, *m.*, farmer.

méthodiquement, systematically.

métier, *m.*, trade, business.

mettre, to put, put on, bring; se —, to begin.

meuble, *m.*, furniture.

midi, *m.*, noon, south.

miel, *m.*, honey.

mien, –ne, mine.

mieux, better, best.

milieu, *m.*, middle, midst.

mille, thousand.

millier, *m.*, thousand.

mince, thin, slight.

mine, *f.*, look, aspect, appearance,

misère, *f.*, misery, poverty, distress.

miséricorde, *f.*, mercy.

mistral, northwest wind (in southern France.

mobilier, *m.*, furniture.

moelle, *f.*, marrow.

moindre, less, least.

moine, *m.*, monk.

moineau, *m.*, sparrow.

moins, less.

mois, *m.*, month.

moisi, –e, moldy, musty.

moitié, *f.*, half.

momie, *f.*, mummy.

monde, *m.*, world, people, company.

monsieur, *m.*, gentleman; Mr.

montagnard, *m.*, mountaineer.

montagne, *f.*, mountain.

monter, to come up, get up, mount.

montrer, to show, point out.

moquer (se), to mock, make fun of.

moqueu–r, –se, mocking, sneering.

morceau, *m.*, bit, piece.

moribond, –e, dying.

mort, *f.*, death.

mort, –e, dead.

mot, *m.*, word.

mouche, *f.*, fly.

mouchoir, *m.*, handkerchief.

mouiller, to wet, moisten.

mourir, to die.

mouvement, *m.*, movement, impulse, feeling.

moyen, *m.*, means, way, manner; power, middle.

muet, –te, dumb, mute.

mur, *m.*, wall.

muraille, *f.*, wall.

mûrier, *m.*, mulberry-tree.

musique, *f.*, music; band.

N

nager, to swim; roll, welter.
naissance, *f.*, birth.
naître, to be born.
nappe, *f.*, cloth, table-cloth.
narquois, –e, bantering, sneering.
narrateur, *m.*, narrator.
narrer, to relate, tell.
natal, –e, native.
navire, vessel, boat.
navrant, heart-rending.
navré, –e, broken-hearted.
né, born.
néanmoins, nevertheless, however.
néant, *m.*, nothing, nonentity.
négligent, –e, careless, indifferent.
négociant, *m.*, merchant.
neige, *f.*, snow.
nerveu–x, –se, nervous.
net, –te, clean, neat, pure; clear, short.
nettement, clearly, distinctly.
nettoyer, to clean, scour.
neuf, nine.
neu–f, –ve, new.
neuvième, ninth. [in one's face.
nez, *m.*, nose; rire au —, to laugh
ni, neither; nor; either; or.
niche, *f.*, nook, trick.
nid, *m.*, nest.
nier, to deny.
nippes, *f. pl.* clothes.
noblesse, *f.*, nobility, rank.
noce, *f.*, wedding.
noël, *m.*, Christmas.
nœud, *m.*, knot, tie.
noir, –e, black.
nom, *m.*, name.
nombre, *m.*, number.
nombreu–x, –se, numerous.
nommer, to name, call, appoint.
non, no, not.
nord, *m.*, North.
notaire, *m.*, notary, attorney.

notre, our.
nouer, to tie.
nourrice, *f.*, nurse.
nourrir, to nourish, feed, keep.
nourriture, *f.*, nourishment, food.
nouveau, nouvel, nouvelle, new, recent, fresh.
nouvelle, *f.*, news.
noyer, to drown.
nu, –e, naked, bare.
nuage, *m.*, cloud.
nue, *f.*, cloud.
nuée, *f.*, cloud, swarm, host.
nuire, to hurt, harm.
nuit, *f.*, night, darkness.

O

obéir, to obey.
objet, *m.*, object, subject.
obscurité, *f.*, darkness.
obstiner (se), to insist, persist.
obtenir, to obtain.
occuper (se), to busy, concern.
odeur, *f.*, odor.
odieu–x, –se, odious, hateful.
œil, *m.*, eye.
œuf, *m.*, egg.
œuvre, *f.*, work.
offrir, to offer.
oie, *f.*, goose.
oiseau, *m.*, bird; — mouche, humming-bird.
oisi–f, –ve, idle.
ombrager, to shade.
ombre, *f.*, shade, shadow, darkness.
oncle, *m.*, uncle.
onde, *f.*, wave, water.
ongle, *m.*, finger-nail.
onze, eleven.
opérer (se), to take place.
or, *m.*, gold.
or, but, now.
ordinaire, ordinary; à l'—, ordinarily.
ordre, *m.*, order, command.

oreille, *f.*, ear.
oreiller, *m.*, pillow.
orgueil, *m.*, pride, arrogance.
orgueilleu-x, —se, haughty, proud.
orienter (se), to find one's way.
original, *m.*, queer fellow, freak.
orner, to adorn.
os, *m.*, bone.
oser, to dare.
ôter, to take away, remove.
ou, or, either.
où, where, in which, when.
oublier, to forget.
oui, yes.
ouvert, —e, open.
ouvrage, *m.*, work.
ouvrier, *m.*, workman.
ouvrir, to open.

P

paille, *f.*, straw.
pain, *m.*, bread.
paire, *f.*, pair.
paix, *f.*, peace.
palier, *m.*, landing.
pâlir, to turn pale.
pâlot, —te, rather pale.
palpiter, to throb, to beat.
pan, *m.*, piece, side, section.
panache, *m.*, plume.
pancarte, *f.*, placard, bill.
panier, *m.*, basket.
pantalon, *m.*, trousers.
pantoufle, *f.*, slipper.
papier, *m.*, paper.
papillon, *m.*, butterfly.
paquet, *m.*, bundle, package, parcel.
par, by, through; — ci — là, here and there.
parader, to show off, walk about.
paraître, to appear, seem.
parapluie, *m.*, umbrella.
parbleu! zounds!
parce que, because.

pardessus, *m.*, overcoat, great-coat.
pardieu, forsooth, well!
pareil, —le, like, similar, such.
parenthèse, *f.*, parenthesis; par —, by the way.
parer, to adorn, deck, prepare.
parfois, sometimes.
parler, to speak, talk.
parmi, among, throughout.
parole, *f.*, word, speech.
part, *f.*, share, part, portion; quelque —, anywhere; à —, excepting, aside.
partage, *m.*, share, lot, portion.
partager, to share.
parti, *m.*, party, cause, resolution, choice, course.
particuli-er, —ère, particular, special.
parti, *f.*, part, game.
partir, to start, go away, depart, burst out; à — de, from, beginning from.
partout, everywhere.
parvenir, to attain, succeed; faire —, to forward.
pas, *m.*, step, pace, footstep.
passager, *m.*, passenger.
passé, *m.*, past.
passer, to pass, call.
passerelle, *f.*, foot-bridge, gang-plank.
pâté, *m.*, pie, meat-pie.
patiner, to skate.
paume, *f.*, tennis.
pauvre, poor.
payer, to pay, pay for.
pays, *m.*, country.
paysage, *m.*, landscape.
paysan, *m.*, countryman, peasant.
peau, *f.*, skin.
peigner, to comb.
peindre, to paint.
peine, *f.*, punishment, difficulty, grief, sorrow, trouble; à —, hardly.

peintre, *m.*, painter.
pêle-mêle, pell-mell, confusedly.
pèlerinage, *m.*, pilgrimage.
pelle, *f.*, shovel.
pelouse, *f.*, lawn, grass-plot.
pencher, to incline, lean.
pendant, during; — que, while.
pendre, to hang.
pénible, painful, hard.
péniblement, painfully, laboriously.
pensée, *f.*, thought, idea.
penser, to think.
penseur, *m.*, thinker.
pépiage, *m.*, chattering.
pépier, to chirp, chatter.
percher, to perch.
perdre, to lose.
père, *m.*, father.
perle, *f.*, pearl, bead.
permettre, to permit, allow.
perron, *m.*, steps.
perroquet, *m.*, parrot.
personne, *f.*, person.
personne (ne), nobody.
perte, *f.*, loss; à — de vue, as far as the eye can reach.
pesant, -e, heavy.
petit, -e, little, small.
pétrifié, -e, petrified.
peu, little, few; à — près, almost.
peur, *f.*, fear.
peut-être, perhaps.
phrase, *f.*, sentence.
pièce, *f.*, piece, room.
pied, *m.*, foot.
piège, *m.*, snare, trap.
pierre, *f.*, stone.
pierrot, *m.*, sparrow.
pinceau, *m.*, pencil, brush.
pincée, *f.*, pinch.
pion, *m.*, usher, proctor.
piteusement, piteously, sadly.
piteu-x, -se, piteous, woeful.
pitié, *f.*, pity, compassion.
place, *f.*, place, square; — d'armes, square, parade-ground.

plaindre, to pity; se —, to complain.
plaire, to please.
plaisanter, to jest, joke.
plaisir, *m.*, pleasure, delight.
planche, *f.*, board, plank.
planter, to plant, set.
plat, -e, flat.
platane, *m.*, plane-tree.
plein, -e, full.
pleurer, to weep.
pleurs, *m. pl.*, tears.
pleuvoir, to rain.
plier, to fold, bend.
plonger, to plunge, immerse.
pluie, *f.*, rain.
plume, *f.*, feather, pen.
plus, more; non —, either, neither.
plusieurs, several.
poche, *f.*, pocket.
poésie, *f.*, poetry, poem.
poignée, *f.*, handful; — de main, hand-shake.
poignet, *m.*, wrist, hand.
poil, *m.*, hair.
poing, *m.*, fist, hand.
poisson, *m.*, fish.
poitrine, *f.*, chest, breast.
poli, -e, polite.
polisson, *m.*, ragamuffin, scamp.
pommade, *f.*, pomatum.
pompeusement, pompously.
pont, *m.*, bridge, deck.
porche, *m.*, porch, portal.
porte, *f.*, gate, door.
portée, *f.*, reach.
porte-plume, *m.*, pen-holder.
porter, to carry, bring, wear.
portier, *m.*, porter, door-keeper.
poser, to place, set, rest.
pouce, *m.*, thumb; inch.
poulet, *m.*, chicken.
pouls (*poo*), *m.*, pulse.
pourquoi, why.
pourtant, however, yet.
pourvu que, provided that.

pousser, to push, drive, impel, utter, grow,

poussière, *f.*, dust.

pouvoir, to be able, can.

prairie, *f.*, meadow.

précédent, -e, precedent, former.

prêcher, to preach.

précieusement, carefully.

précieu-x, -se, precious, valuable.

précipitamment, hurriedly.

précipiter, to throw, hasten, plunge.

précisément, exactly.

prédilection, *f.*, preference; de —, favorite.

prédire, to predict.

premi-er, -ère, first.

prendre, to take.

près, by, near, close to; à peu —, nearly.

présager, to forebode.

présentation, *f.*, introduction.

présenter, to present, introduce.

presque, almost.

prêt, -e, ready.

prétentieu-x, -se, assuming, pretentious.

prêter, to lend.

prêtre, *m.*, priest.

preuve, *f.*, proof, evidence.

prévenir, to prepossess, prejudice, inform, warn.

prévoir, to foresee, provide for.

prier, to pray, request.

prière, *f.*, prayer.

printemps, *m.*, spring.

prix, *m.*, price, prize.

procès, *m.*, lawsuit.

prochain, -e, near, next.

prochainement, shortly, soon.

proche, near.

prodigieu-x, -se, vast.

profiter, to profit, take advantage.

profond, -e, deep.

profondeur, *f.*, depth.

projet, *m.*, scheme, plan.

promenade, *f.*, walking, walk.

promener, to turn; se —, to walk.

promesse, *f.*, promise.

promettre, to promise.

propos, *m.*, discourse, talk; à —, by the way.

propre, own.

propret, -te, neat, nice.

protéger, to protect.

protestation, *f.*, profession.

puis, then, next.

puisque, since.

puits, *m.*, well.

punir, to punish.

punition, *f.*, punishment.

pupitre, *m.*, desk, reading-desk.

Q

quai, *m.*, wharf.

quand, when, even if.

quant à, as for.

quarante, forty.

quart, *m.*, quarter.

quartier, *m.*, quarter, ward, district.

quatorze, fourteen.

quatre, four.

quatre-vingts, eighty; quatre-vingt-dix-neuf, ninety-nine.

quatrième, fourth.

que, whom, that, which, what.

que, that, how, if, as, when, than; ne —, only.

quel, -le, what, who.

quelconque, whatever.

quelque, some, any.

quelquefois, sometimes.

quelques-uns, some.

quelqu'un, somebody.

querelle, *f.*, quarrel.

quête, *f.*, quest, search.

queue, *f.*, tail.

qui, who, whom.

quiconque, whoever.

quille, *f.*, nine-pin.
quinze, fifteen.
quitter, to quit, leave.
qui-vive, *m.*, look-out, alert.
quoi, which, what ; de —, something, enough ; sur —, whereupon,
quoi que, whatever, however.
quoique, although.

R

râcler, to scrape.
raconter, to relate, tell.
rage, *f.*, fury, passion.
rainure, *f.*, groove, crack.
raison, *f.*, reason ; avoir —, to be right.
raisonnement, *m.*, reasoning.
raisonner, to reason with.
rajuster, to readjust.
ramasser, to pick up.
rampe, *f.*, banister.
rancune, *f.*, ill-feeling, malice.
rang, *m.*, row, line, rank.
rangée, *f.*, row, line.
ranger, to arrange, set in order.
râpé, –e, shabby, thread-bare.
rapidité, *f.*, haste.
rappeler, to call back, recall.
rapport, *m.*, report, account.
rapporter, to carry back, yield, bring in.
raser, to hug, glide along.
rassembler, to collect.
rassurer, to reassure, comfort.
ratatiné, –e, shriveled.
ravi, –e, delighted.
raviser (se), to change one's mind.
rayer, scratch out, erase.
rayon, *m.*, ray, beam, shelf.
rayonner, to shine, beam.
recevoir, to receive.
réchauffer, to warm.
recherche, *f.*, search.

rechigner, to look angry, to object.
récit, *m.*, account, story.
réciter, to recite, repeat.
récompenser, to reward.
reconnaître, to recognise.
reconstituer, to re-organize.
reconstruire, to reconstruct.
recopier, to copy.
recteur, *m.*, rector, principal.
reculer, to retreat, recede.
redevenir, to become again.
redingote, *f.*, frock-coat, overcoat.
redoubler, to redouble, increase.
redresser, to straighten, erect, set up.
réduit, *m.*, retreat, lodging.
réellement, really.
refermer, to shut again.
reformer, to form again.
refroidir, to cool, chill.
réfugier (se), to take refuge.
regagner, to regain, reach.
regard, *m.*, look, gaze.
regarder, to look at, look on.
règle, *f.*, ruler.
règlement, *m.*, rules, by-laws.
régler, to settle.
régulariser (se), to get in order.
reins, *m.*, back.
rejoindre, to rejoin.
réjoui, –e, jovial, merry.
relâche, *f.*, rest, relaxation.
relever, to raise, lift up.
relier, to bind.
relire, to read again.
reluire, to shine, glitter.
remarquer, to notice.
remède, *m.*, remedy, cure.
remercier, to thank.
remettre, to put back, to deliver, return, recover.
remise, *f.*, commission, allowance.
remonter, to go up again, to wind up.
remords, *m.*, remorse.

remplaçant, *m.*, successor.

remplacer, to replace, take the place of.

remplir, to fill, fill up.

remue-ménage, *m.*, bustle, confusion.

remuer, to move, shake.

renaître, to revive, come back.

rencontre, *f.*, meeting.

rencontrer, to meet.

rendre, to render, return ; se—, to go.

renfrogné, angry, sullen.

renouveler, to renew.

renseignement, *m.*, information.

rentrer, to return.

renverse (à la), backwards.

renversé, –e, thrown back.

renvoi, *m.*, sending back, return.

renvoyer, to send back, send away, dismiss.

répandre, to shed.

reparaître, to reappear.

repas, *m.*, meal.

repasser, to pass again.

répéter, to repeat.

replier, to fold again.

réplique, *f.*, reply, answer.

répliquer, to reply, answer.

répondre, to answer.

réponse, *f.*, answer, reply.

repos, *m.*, rest, quiet.

reposer, to rest.

repousser, to push back.

reprendre, to take again, recover, get, begin again, reply, answer.

reprise, repetition ; à plusieurs –s, several times.

résigné, –e, resigned, patient.

résolument, resolutely, boldly.

résoudre, to resolve.

respirer, to breathe.

resplendissant, –e, bright, glowing.

ressembler, to resemble.

reste, *m.*, rest, remainder; du —, besides.

rester, to remain.

retard, *m.*, delay ; en —, late.

retenir, to retain, keep back, engage.

retentir, to resound, ring.

retenue, *f.*, keeping in, detention.

retirer, to withdraw, retire, draw out.

retomber, to fall again.

retour, *m.*, return.

retourner, to return, turn ; se —, to turn round.

retrouver, to find again.

réunir, to unite, assemble.

réussir, to succeed.

rêve, *m.*, dream.

réveiller, to awake.

revenir, to come back, return, recover.

rêver, to dream.

révérence, *f.*, bow.

revoir, to see again.

révolté, rebellious.

révolutionnaire, *m.*, revolutionist.

ricaner, to sneer.

richard, *m.*, rich fellow.

riche, rich.

richesse, *f.*, riches, wealth.

ridé, –e, wrinkled.

rideau, *m.*, curtain.

ridicule, ridiculous.

rien, nothing.

rime, *f.*, rhyme.

rire, to laugh, smile.

rire, *m.*, laughter.

risible, comical, laughable.

risque, *m.*, risk.

risquer, to risk, run the risk.

rive, *f.*, shore, bank.

rivière, *f.*, river.

robe, *f.*, gown, dress.

rocher, *m.*, rock.

rôder, to roam, ramble.

roide, stiff.

romain, –e, Roman.

roman, *m.*, novel, romance, story.

rompre, to break.
rond, –e, round.
ronde, *f.*, round, patrol,
rondement, roundly, briskly, vigorously.
ronfler, to snore, roar.
ronger, to gnaw, bite.
rose, rosy, pink.
rosier, *m.*, rose-bush.
rouage, *m.*, wheels, machinery.
roue, *f.*, wheel.
rouge, red.
rougeur, *f.*, redness, blush.
rougir, to blush.
roulement, rolling, rumbling.
rouler, to roll.
route, *f.*, road, way.
ruban, *m.*, ribbon.
rude, rough, hard, strong.
rue, *f.*, street.
rugir, to roar.
rugissement, *m.*, roaring, howling.
ruiner, to ruin.
ruisseau, *m.*, stream, gutter.
ruisseler, to stream.

S

sabot, *m.*, wooden shoe.
sache, *from* savoir.
sacrilège, sacrilegious.
sage, wise, prudent, well-behaved.
saigner, to bleed.
saisir, to seize, catch.
sale, dirty.
salir, to soil, stain.
salle, *f.*, hall, room; — à manger, dining-room.
salon, *m.*, saloon, parlor.
saluer, to bow to.
salut, *m.*, bow, salutation.
sang-froid, *m.*, composure, presence of mind.
sanglot, *m.*, sob, sobbing, weeping.

sangloter, to sob.
sans, without.
saule, *m.*, willow.
sauter, to leap, jump.
sautiller, to hop, skip.
sauvage, savage.
savoir, to know.
seau, *m.*, pail, bucket.
sec, sèche, dry, lean, sharp, harsh.
seconde, *f.*, second.
secouer, to shake.
secours, *m.*, help, relief.
secousse, *f.*, shock, agitation.
secrétaire, *m.*, secretary.
séculaire, venerable, very old.
séduisant, –e, fascinating, tempting.
seize, sixteen.
selon, according to.
semaine, *f.*, week.
semblable, similar.
semblant, *m.*, pretense, show.
sembler, to seem, appear.
sens, *m.*, sense, judgment, direction.
sentir, to feel, smell, smell of.
séparer, to separate.
sept, seven.
sérieusement, seriously.
sérieu-x, –se, serious, grave; au —, seriously.
serpolet, *m.*, wild thyme.
serre-file, *m.*, end-man.
serrer, to press, squeeze, grasp, oppress.
serrure, *f.*, lock.
serviette, *f.*, napkin.
servir, to serve.
seuil, *m.*, threshold.
seul, –e, only.
seulement, only, even, merely.
sévère, stern, hard.
si, if, whether.
si, (so) yes.
sien, –ne, his, hers, its.
sifflet, *m.*, whistle.
signe, *m.*, sign, signal, mark.

signer, to sign.

silencieusement, silently.

silencieu-x, –se, silent.

singerie, *f.*, trick.

singuli–er, –ère, singular, peculiar.

sinistre, forbidding, dismal.

sinon, otherwise.

sitôt que, as soon as.

situé, –e, situated.

sixième, sixth.

sœur, *f.*, sister.

soie, *f.*, silk.

soigner, to nurse.

soigneusement, carefully.

soigneu-x, –se, careful.

soin, *m.*, care.

soir, *m.*, evening.

soirée, *f.*, evening.

soixante, sixty; — dix, seventy.

sol, *m.*, soil, ground.

soldat, *m.*, soldier.

soleil, *m.*, sun, sunshine.

solennel, –le, solemn.

solennellement, solemnly.

solennité, *f.*, solemnity.

sombre, dark, melancholy, sad.

somme, *f.*, sum, amount; en —, on the whole, in short.

sommeil, *m.*, sleep.

somnolent, –e, sleepy, drowsy.

son, *m.*, sound.

son, sa, ses, his, hers, its.

sonder, to sound.

songer, to think.

sonner, to sound, ring, strike.

sonnette, *f.*, bell.

sort, *m.*, fate, lot, position.

sorte, *f.*, sort, kind; de la —, in that way.

sortir, to go out, come out, get out.

sou, *m.*, cent.

souci, *m.*, care, anxiety.

soudain, suddenly.

souffler, to blow, breathe.

souffrance, *f.*, suffering.

souffrir, to suffer.

soulagement, *m.*, relief.

soulever, to raise, lift.

soulier, *m.*, shoe.

soumettre, to submit.

soumis, –e, submissive.

soupçon, *m.*, suspicion.

souper, to take supper.

souper, *m.*, supper.

soupir, *m.*, sigh, groan.

soupirer, to sigh.

source, *f.*, spring, fountain.

sourciller, to flinch, wink.

sourd, –e, deaf, dull, muffled.

sourire, to smile, please.

sourire, *m.*, smile.

sous, under.

sous-officier, *m.*, non-commissioned officer.

sous-préfet, *m.*, sub-prefect.

souvenir, *m.*, remembrance.

souvenir (se), to remember.

souvent, often.

spécialement, particularly.

spontanément, voluntarily.

station, *f.*, standing, halt.

stationner, to stand.

strident, –e, screeching, shrill.

stupéfait, –e, astounded, dumfounded.

stupeur, *f.*, astonishment, amazement.

stupide, speechless.

su, *from* savoir.

subir, to undergo, suffer.

subit, –e, sudden.

subitement, suddenly.

succéder, to succeed, follow.

sucre, *m.*, sugar.

suer, to sweat, perspire.

suffire, to suffice.

suffisamment, sufficiently.

suffisant, –e, conceited.

suite, *f.*, succession, order, consequence; tout de —, at once.

suivant, –e, next, following.

suivre, to follow.

sujet, *m.*, subject.

suppléer, to take the place of.

supplice, *m.*, punishment.
supplier, to entreat, beg.
supporter, to bear, endure.
suprême, last.
sur, upon, on, over.
sûr, –e, sure, certain.
sûrement, surely.
sur-le-champ, at once.
surnom, *m.*, surname, nickname.
surnommer, to nickname.
surprendre, to surprise.
sursaut, *m.*, start; en —, suddenly.
surtout, above all, especially.
surveillant, *m.*, inspector, disciplinarian.
surveiller, to superintend, watch.
survenir, to happen.
suscription, *f.*, superscription, address.
suspendre, to hang.
svelte, light, slender.
sympathique, congenial.

T

tabac (*taba*), *m.*, tobacco, snuff.
tableau, *m.*, picture, scene.
tabouret, *m.*, stool.
tache, *f.*, spot, blot.
tâcher, to try.
taille, *f.*, stature, figure.
tailler, to cut, carve, make.
taire (se), to keep silent, be still.
talon, *m.*, heel.
tambouriner, to drum.
tandis que, while.
tant, so much, so many.
tantôt, presently.
tapage, *m.*, noise, racket.
tape, *f.*, rap, tap.
tapis, *m.*, carpet.
tapisser, to cover, deck.
tard, late.   [long.
tarder, to delay; il me tarde, I
tartan, *m.*, plaid shawl.

tas, *m.*, heap, pile, lot.
tasse, *f.*, cup.
tâter, to feel.
tâtonner, to grope.
tâtons (à), groping.
taupe, *f.*, mole.
tel, –le, such, like, similar.
tellement, so, so much.
témoigner, to show.
témoin, *m.*, witness.
tempérament, *m.*, disposition.
temps, *m.*, time, weather; dans le —, formerly.
tendre, fond, loving.
tendre, to hold out.
tendresse, *f.*, love.
teneur de livres, *m.*, book-keeper.
tenez! see, behold!
tenir, to hold, have, keep, insist.
tente, *f.*, tent, pavilion.
tenter, to tempt.
tenue, *f.*, dress, deportment.
terminer, to end.
terre, *f.*, earth, ground.
tête, *f.*, head.
tête-à-tête, *m.*, private interview; en —, face to face, alone.
thé, *m.*, tea.   [cise.
thème, *m.*, composition, exer-
tiède, warm.
tiens! look! there!
tige, *f.*, trunk, stem, stalk.
timbre, *m.*, stamp, post-mark.
timbre-poste, *m.*, postage-stamp.
timide, timid, bashful.
timidement, timidly, bashfully.
timidité, *f.*, bashfulness.
tirage, *m.*, drawing.
tirer, to draw, pull, get, drag.
tiroir, *m.*, drawer.
tisonner, to stir.
titre, *m.*, title.
toise, *f.*, measure, rule.
toit, *m.*, roof, home.
tombeau, *m.*, tomb, tombstone.

tomber, to fall, fall down, come,

tombereau, *m.,* cart. [light.

ton, *m.,* tone, accent, manner.

tonneau, *m.,* cask, barrel.

tonnerre, *m.,* thunder.

tordre, to twist, distort.

tort, *m.,* wrong, harm.

tortiller, to twist, turn.

tôt, soon.

toucher, to touch.

touffu, –e, bushy, leafy.

toujours, always.

tour, *f.,* tower.

tour, *m.,* turn, twist; **fermer à double—,** to lock carefully.

tourmenter, to grieve, distress, worry.

tournée, *f.,* trip, visit, round.

tourner, to turn.

tousser, to cough.

tout, –e, all, whole.

toutefois, however.

trahir, to betray, deceive.

train, *m.,* way, manner, mood; **en —,** in the act.

traîner, to draw, drag.

traité, *m.,* treatise, dissertation.

traîtreusement, treacherously, slily.

tramontane, *f.,* North wind.

tranchant, *m.,* sharpness.

tranche, *f.,* slice, edge.

tranquille, quiet, calm.

tranquillement, calmly.

transi, –e, chilled.

trapèze, *m.,* gymnastics.

travail, *m.,* labor, work.

travailler, to work.

travers, *m.,* **à —,** through, across; **de —,** wrong.

traversée, *f.,* passage, voyage.

traverser, to cross, go through.

trébucher, to stumble.

treize, thirteen.

trembler, to tremble.

tremper, to dip.

trente, thirty.

trépignement, *m.,* stamping.

trépigner, to stamp.

trésor, *m.,* treasure.

tressaillir, to start, tremble.

tressauter, to start, tremble.

trêve, *f.,* truce, respite.

tribu, *f.,* tribe.

tricot, *m.,* knitting.

tricoter, to knit.

trimestre, *m.,* quarter (of a year).

trinquer, to treat, drink.

triomphal, –e, triumphal.

triste, sorrowful, sad.

tristement, sadly.

tristesse, *f.,* sadness, grief.

trois, three.

troisième, third.

tromper, to deceive; **(se),** to be mistaken.

trompette, *f.,* trumpet.

trôner, to rule.

trop, too much, too many, too.

trotter, to trot, run.

trouble, *m.,* confusion.

troubler, to trouble, agitate.

trousse, *f.,* heels.

trousseau, *m.,* bunch.

trouver, to find.

tuer, to kill.

tue-tête (à), at the top of one's voice.

tunique, *f.,* coat, gown.

tutelle, *f.,* protection.

tutoyer, to say thee and thou to.

tuyau, *m.,* pipe, funnel.

U

uni, –e, united, smooth, level.

unique, only, sole, single.

user, to consume, wear out.

usine, *f.,* works, mills.

utile, useful.

utiliser, to make use of.

V

va, *from* aller; va-t'en, *imperative of* s'en aller.

vacance, *f.*, vacation.

vacarme, *m.*, tumult, uproar.

va-et-vient, motion, movement.

vaguement, vaguely, idly.

valetaille, *f.*, men-servants, lackeys.

vallée, *f.*, valley.

valoir, to be worth; — mieux, to be better.

vanter, to praise, extol; se —, to boast.

vaste, large.

vaurien, *m.*, worthless fellow.

veille, *f.*, day before.

veillée, *f.*, evening, work of the evening.

veiller, to watch, be awake.

velours, *m.*, velvet.

vendre, to sell.

vendredi, *m.*, Friday. [just.

venir, to come; — de, to have

vent, *m.*, wind.

vêpres, *f. pl.*, vespers. [worm.

ver, *m.*, worm; — à soie, silk-

vérité, *f.*, truth.

vernis, *m.*, varnish.

verre, *m.*, glass.

vers, *m.*, verse, line.

vers, towards, about.

verser, to pour, pour out, shed.

vert, –e, green.

vêtement, *m.*, clothes.

vêtir, to dress.

veuve, *f.*, widow.

vide, empty.

vider, to empty.

vie, *f.*, life, living.

vieux, vieil, vieille, old.

vi-f, –ve, lively, brisk.

vigne, *f.*, vine, vineyard.

vigueur, *f.*, strength, force.

vilain, –e, vile.

ville, *f.*, town, city.

vin, *m.*, wine.

vingt, twenty.

vingtaine, *f.*, score.

vinicole, wine-growing.

violette, *f.*, violet.

violon, *m.*, violin.

visage, *m.*, face.

visiter, to examine, inspect.

vite, quick, quickly, soon.

vitre, *f.*, glass, window.

vivant, –e, animated, lively.

vivement, quickly, vigorously.

vivre, to live.

vlan! whack!

voici, here is, here are.

voilà, behold, there is, there are.

voir, to see.

voisin, *m.*, neighbor.

voisinage, *m.*, neighborhood.

voiture, *f.*, carriage, coach.

voix, *f.*, voice, tone.

volatile, *m.*, bird.

volière, *f.*, pigeon-house, bird-cage.

volonté, *f.*, will, intention.

volontiers, willingly.

vouloir, to be willing, wish; — bien, to please; s'en — à, to be angry with.

voûté, –e, stooped, bent.

voyage, *m.*, journey.

voyager, to travel.

voyageu-r, –se, traveler.

vrai, –e, true, real, truly.

vraiment, truly.

vue, *f.*, sight; à perte de —, as far as the eye can reach.

W

wagon, *m.*, car, coach.